Het grote verjaardagsboek

In deze reeks verscheen onder andere eerder:

Het grote roversboek
Het grote heksenboek
Keet in de klas
Elke dag dierendag
Dansen met de clown
Rozengeur en maneschijn
Het grote boek van Sinterklaas

www.uitgeverijholland.nl
www.saskiahalfmouw.nl

Het grote verjaardagsboek

Illustraties van Saskia Halfmouw

Uitgeverij Holland – Haarlem

poep sex

Welkom in de feestfabriek is geschreven door Leny van Grootel, de strip is van Saskia Halfmouw

Inhoud

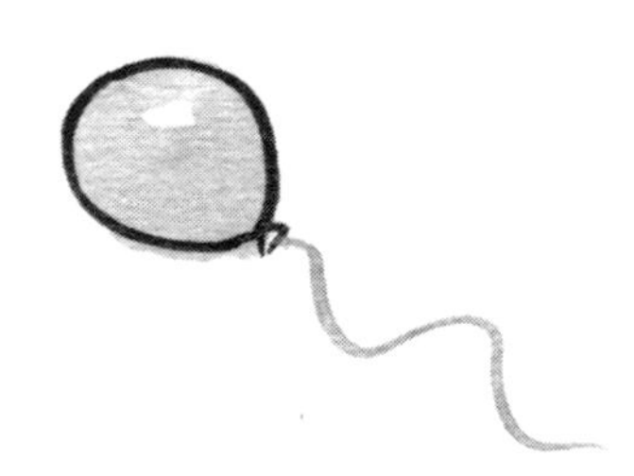

Van Theo Olthuis verscheen onder andere eerder:

Lampje voor de nacht
In je hoofd kun je alles

zie ook: www.theo-olthuis.nl

Theo Olthuis
Jarig

De zon schijnt,
wat een mooie dag!
Van de toren waait
een reuzenvlag.
Alle mensen hebben vrij,
iedereen is ontzettend blij.
Ballonnen worden opgelaten
en in de straten
muziek en kraampjes,
gedans en geschrans.
De kinderen verkopen
spullen tweedehands.
Vanavond vuurwerk…
En weet je waarom?
Ik ben jarig!!!

welkom in

☆ DE FEESTFABRIEK ☆

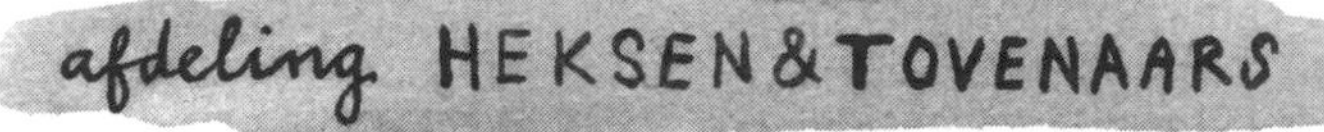

In de feestfabriek vind je duizend-en-een ideetjes voor je eigen feest. Kijk gezellig rond! En trakteer je gasten op een dikke mispunt met een glas groene griebel. Hiha, hoepsika!

☆

UITNODIGING

Zwart karton, beetje scheuren langs de randen. Schrijf daarop de uitnodiging met een zilveren stift. Teken in de hoek een spinnenweb en plak er een nep-spin op. Dan weet iedereen meteen wat voor feestje het wordt.

Kom je op mijn betoverende feest? Woensdag om 4 uur. Tot dan!

TOVERLIED

ALLE BEZEMS AAN DE KANT
GEEF MEKAAR DE HEKSENHAND
DANS MAAR ROND HET HEKSENVUUR
'S NACHTS OM DERTIEN UUR
EN MAAR ROEREN IN DE SOEP
SLAKKENSLIJM MET PADDENPOEP
EN MAAR ROEREN IN DE PAN
TOT JE TOVEREN KAN!
WAT DAN?

(roep om de beurt wat je toveren wilt)

TOVER BALLEN!

HEKSENMEMORY

Geef elk kind 2 stukjes wit karton en stiften! Ieder kind krijgt een woord uit de heksenwereld: HOED, KAT, BOOM, KOOKPOT, HEKSENNEUS, VUUR, PADDESTOEL, BEZEM, etc. Iedereen tekent dat woord 2x, zo gelijk mogelijk. Zo krijg je een hekserig MEMORYSPEL, je kunt het meteen gaan spelen!

MAGISCH BAL

Heksen en tovenaars kunnen ook swingen, ze doen alleen nog veel wilder met hun armen en benen dan wij en ze trekken héél gekke gezichten. Als de hoofdheks de muziek plotseling laat stoppen, moet iedereen proberen tien tellen in de houding te blijven staan die je dan net hebt. Wie lacht, is af en moet aan de kant. Na 10 tellen gaat de muziek weer door...

TIP!

LEKKER DONKER!
Heksen kunnen niet tegen daglicht. Sluit de gordijnen en zet overal lege glazen potjes met waxinelichtjes neer. Of hang kerstlampjes aan de muur.

MISPUNTEN

Bak een taart van cakebeslag en geef iedereen er een punt van. Op tafel staan bakjes met schrikschuim (slagroom), spinnenpootjes (hagelslag), konijnenkeutels (rozijnen) en drakendrek (stroop). Iedere heks mag haar eigen mispunt versieren. Een glaasje groene griebel smaakt er heel lekker bij (= 7-up met groene aanmaaklimo)

DE EUCALYPTAKNOOP

Alle heksen houden elkaar vast in een lange rij. De eerste heks begint te lopen, kruipt tussen 2 andere heksen door, en weer en weer... de andere heksen volgen. Tot er één grote heksenknoop is ontstaan en niemand nog een stap kan verzetten. Dan mag je loslaten. De tweede keer staat iemand anders voorop. Wie maakt de gekste heksenknoop?

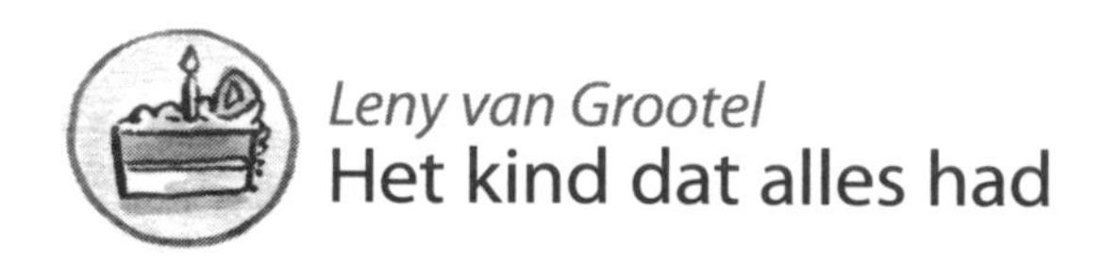

Leny van Grootel

Het kind dat alles had

Dotje van Dam had alles. Nou ja, alles... Het koninkrijk was van de koningin natuurlijk en voor een vliegtuig of een auto was ze nog te jong. Maar verder kon je het zo gek niet bedenken of Dotje van Dam had het. Een rode fiets, een groene fiets en een fiets met stippeltjes. Zevenentwintig poppen, en zes poppenhuizen. Een houten paard en een echte pony. Een kast vol spellen en een kast vol puzzels. Een computer natuurlijk en een televisie. Kralen en kettingen en voor elke dag een ander horloge.
Ja, dat krijg je als je wel dertig tantes hebt, twintig ooms en zesenzestig neven en nichten. Plus een stuk of vier opa's en oma's. Dan krijg je elke dag wel iemand op bezoek met een cadeau. Of een pakje met de post.
Nu zul je wel denken, dat is leuk voor Dotje, dan hoeft ze zich nooit te vervelen. Dan heeft ze altijd iets te doen. Maar dat is nou juist het gekke, Dotje speelt bijna nooit. Ze wil wel, maar ze krijgt de kans niet. Gek hè?

Vandaag ook weer. Het ís vakantie dus ze hoeft niet naar school. En het is lekker rustig. Dotjes mama is al de hele dag uit winkelen en omdat het ook nog koopavond is, duurt dat extra lang. Dotjes papa zit de krant te lezen. Dus er is tijd genoeg, zou je zeggen. Nu kan Dotje eindelijk de puzzel maken die ze van opa één heeft gekregen. Een hele mooie, van Sneeuwwitje en de zeven dwergen. Maar ze heeft de doos nog niet gepakt, of daar komt opa twee op bezoek. Met een cadeautje natuurlijk, lang en smal. Dotje hoeft het niet eens uit te pakken, ze ziet aan de vorm al wat erin zit. Een hondje dat kan lopen en blaffen, als je op een knopje drukt. Ze heeft er al minstens vijf in de kast. Ze legt het pakje op tafel en wil aan de puzzel beginnen.
Maar opa twee kijkt zó teleurgesteld... hij vindt dat hondje zelf vast heel geweldig.

'Maak je het niet open?' vraagt hij. 'En het is nog wel zo leuk!'
Hij scheurt rats, rats het papier van de doos, haalt het hondje tevoorschijn en drukt op het knopje. Het hondje begint zwaaiend met zijn staart over de gladde vloer te schuifelen. Opa twee is helemaal opgetogen. 'Is het niet prachtig, Dotje? Is het niet nét echt? Nu wil je het zeker zelf wel een keer proberen?'
'Ja graag, opa,' zegt Dotje beleefd. Want ze is nu eenmaal keurig opgevoed. Ze pakt de afstandsbediening en drukt braaf op de knop. Weet je wat, ze zal het hondje precies over de streep van het tapijt laten lopen, dat is wel een leuk spelletje. Maar ze heeft het hondje nog niet rechtgezet, of daar zwaait de deur open. Tante Sofa stuift binnen, zwaaiend met een tas.
'Je raadt het nooit!' jubelt ze, 'je raadt nooit wat ik voor je heb!' Ze gaat zitten, zet haar tas op schoot en haalt er een pakje uit. 'Je mag drie keer raden.'
'Een kauwgomballenautomaatje,' zegt Dotje.
'Hè,' zegt tante Sofa beteuterd, 'hoe weet je dat nou zo meteen.'

'Ik zie die bobbel,' zegt Dotje, 'en ik hoor het gerammel. Ik heb al...'
Maar verder komt ze niet, want de bel gaat en daar is tante Canapé. Met een cadeautje, verpakt in bloemetjespapier. Dotje kent dat papier, het zit altijd om de theeserviesjes. Dit is al haar zevende...
Maar van theezetten komt niks, want Dotjes papa heeft chocolademelk gemaakt. En als die op is, moet Dotje naar bed. Ze heeft al roze wangen van de slaap.
Papa geeft haar een nachtzoen. 'Welterusten, Dotje. Morgen is de grote dag, hè?'
'Grote dag?'
'Mallerd!' Papa schudt lachend zijn hoofd. 'Je houdt me voor de gek. Je weet het best! Een héél speciale dag!'
Dotje probeert het te weten, maar haar ogen vallen al dicht. Ze valt in slaap tussen zesenzestig knuffelberen. En weet je waar ze van droomt? Van een klaproos.

Terwijl Dotje in haar droom van de ene bloem naar de andere vliegt, komt Dotjes mama thuis van de koopavond, met een lége tas.
'Maar schatje,' roept Dotjes vader uit. 'Je hebt niets gekocht! Ben je ziek of zo? Is er iets ergs gebeurd?'
Dotjes mama ploft op de bank en barst in huilen uit. 'Iets ergs? Iets ergs? Iets verschrikkelijks zul je bedoelen.' Ze pakt een zakdoek en snuit haar neus. 'Ik heb alle winkels afgelopen, echt alle winkels. Maar ik kon niets vinden voor Dotje. Hoe moet dat nou morgen, met haar verjaardag?'
'Hoe bedoel je, niks vinden? De winkels staan toch vol met speelgoed?'
'Ja, maar ik wil iets ánders. Iets wat ze nog niet heeft! Denk dan eens méé. Ik moet het ook allemaal alléén doen!'
'Laat me eens denken...' Dotjes vader trekt een rimpel tussen zijn ogen. 'Iets wat ze nog niet heeft, zeg je...'

Het blijft heel lang stil. Dotjes moeder begint weer te snikken. 'Zie je wel, jij weet ook niks. Het árme, árme kind. Ach, ons arme Dotje... En er komt morgen ook al niemand, want de hele familie moet naar de bruiloft van tante Fotuitje.'
'Tja...' De rimpel in het hoofd van Dotjes vader wordt hoe langer hoe dieper.
'Weet je wat? We stellen Dotjes verjaardag gewoon een tijdje uit. Tót we iets gevonden hebben wat ze nog niet heeft.'
Dotjes mama kijkt hem boos aan. 'Dan ga jij dat maar vertellen!' snift ze. 'Ik kan het niet hoor. Het is veel te erg.'
'Dotje slaapt nu. We vertellen het morgen. Jij of ik, of wij samen.'
Dotjes papa staat op en zet de televisie aan voor het nieuws. Daar worden ze óók niet vrolijk van. Want ze horen dat alle postbodes gaan staken. Die komen morgen dus ook niks brengen, zelfs geen verjaardagskaart.
Krijgt ze helemaal, helemaal niets. Zielig hè, voor Dotje.

Dotje is wakker en wrijft de slaap uit haar ogen. Ze duwt een stel kriebelende knuffelberen weg en luistert of ze mama al hoort. Maar nee, het is vreemd stil in huis. Geen gekletter in de badkamer, geen voetstappen op de trap, geen gerammel in de keuken. Niemand die roept: 'Opstaan!'
Dotje snapt er niks van. Ze denkt diep na. Wat is het eigenlijk voor dag vandaag? Ze kijkt op haar nachtkastje. Aan het horloge dat daar klaar ligt, ziet ze dat het woensdag is. Maar geen gewone woensdag. Want wat zei papa ook al weer? Een héél speciale dag.
Terwijl Dotje wacht op geluiden in huis, kijkt ze haar kamer rond. Op de kast zitten de zevenentwintig poppen een beetje bedroefd te kijken. Alsof ze willen zeggen: 'Toe Dotje, speel nou eens met ons.' En kijk, het kleinste popje is haar sokjes kwijt. Wat zal het koude voetjes hebben.
Dotje wipt uit bed, klimt op haar stoel en pakt het popje van de kast. Ze voelt. Ja hoor, ijskoud, die voetjes. 'Kom maar bij mij in

bed,' zegt Dotje. En kijk, nu is het net of het poppetje lacht.
Dotje kijkt weer rond. Op tafel staat de puzzel nog, die ze gisteren had gepakt. Dotje heeft zó'n zin om hem te maken. En voor ze het weet, is ze al weer uit bed. Ze kiept de doos om, legt de stukjes met de gekleurde kant naar boven...
Al gauw heeft ze de dwerg met de groene muts gepuzzeld, en daarna die met de blauwe. En kijk, het schoentje van Sneeuwwitje en een stukje van haar jurk. De lucht is best moeilijk. Maar niemand die komt storen en na een tijdje is de puzzel helemaal af.
'Goed hè?' zegt Dotje tegen het popje in bed, de poppen op de kast en de zesenzestig knuffelbeesten. 'En wat gaan we nu doen?'
Ze maakt de kast open en er valt een boek uit. O ja, denkt Dotje, dat boek van oma drie. Ze gaat ermee in bed zitten.
'Zal ik vertellen?' vraagt ze. En alle poppen en knuffels, en zelfs de autootjes in de hoek van de kamer, kijken blij.
Het is een grappig verhaal, over drie biggetjes die een huisje gaan bouwen. Dotje leest de plaatjes voor, tot het hele boek uit is. Zó gezellig. Dotje klapt in haar handen.
'Nu snap ik het!' roept ze uit. 'Nou weet ik waarom dit een heel speciale dag is!'
Ze springt haar bed uit om het papa en mama te gaan vertellen. Ze heeft nog steeds geen geluidje gehoord, dus ze liggen vast nog in bed.
En ja hoor, mama en papa zitten rechtop in bed. Maar ze kijken helemaal niet blij.
'Jij zou het doen,' hoort ze mama zeggen. 'Jij zou het vertellen. En schiet nou op, anders is het te laat.'
'Nee, we doen het samen,' zegt papa. 'Dat was de afspraak.'
'Niet waar,' zegt mama weer, maar dan slaat ze verschrikt haar hand voor haar mond, want ze ziet Dotje in de deuropening staan.
'Zie je nou,' zegt ze. 'Nu is ze ons voor.'
Dotje gaat op de rand van het bed zitten en geeft haar moeder een

kus. 'Ik ben al lang wakker,' zegt ze. 'Jullie hebben zeker lekker uitgeslapen.'
Papa slikt een keer en zegt dan treurig: 'Dotje, we moeten je iets vertellen...'
Maar Dotje schudt haar hoofd. 'Hoeft al niet meer, ik heb het al door!' zeg ze. 'Ik weet waarom dit een speciale dag is. Vandaag mag ik spelen. Spélen. Ik heb al een puzzel gemaakt. En straks ga ik die robot van lego bouwen. Maar dan moet je wel helpen, papa. En dan... oja, dan moet ik sokjes maken voor het kleine poppetje. Weet jij hoe dat moet, mama?'
Mama en papa kijken elkaar verbaasd aan. 'Maar kindje...' zegt mama, 'je begrijpt het niet, geloof ik. Geen cadeautje, geen bezoek... We vinden het zo...'
'Heerlijk hè?' roept Dotje. 'Vanmiddag wil ik theedrinken met alle poppen. Dat gaat precies met mijn zeven serviesjes. En nu...' Ze holt weg en komt terug met het boek van de drie biggetjes. 'Nu wil ik bij jullie in bed. Dan zal ik voorlezen...'

Dotje kruipt gezellig tussen mama en papa in, slaat het boek open en begint te lezen. En als het uit is, begint ze gewoon weer opnieuw.

Van Leny van Grootel verscheen onder andere:

Annabella van Artis
Milans band
Mysterio
Nachtboek van Penne de Heks
Ninkie Stinkie Krukkenbus
Oena Loena
Topspin
Veertjes dans

Mieke van Hooft

De taart

De bel gaat alweer! Boris en Suus rennen naar de voordeur. Boris is natuurlijk weer net iets sneller. Suus grijpt hem bij de mouw van zijn bloes, maar hij duwt haar weg.
'Rotjong!' scheldt ze. 'Laat mij nou een keer opendoen!'
'Jongens, waarom moeten jullie eeuwig en altijd ruziemaken? Hou daar nou eindelijk eens mee op!' Mama is hen achterna gekomen en schudt met haar hoofd.
Intussen heeft Boris de deur geopend. 'Tante Tosca!' roept hij blij. Als tante Tosca op bezoek komt, brengt ze altijd iets lekkers mee voor Boris en Suus.
'Gefeliciteerd met jullie jarige vader!' roept ze. Daarna omarmt ze mama. 'En jij gefeliciteerd met Frits! Waar is het feestvarken? In de kamer zeker?' Ze opent haar tasje en haalt er twee rollen Smarties uit. 'Kijk eens, Boris en Suus... Voor jullie. Lekker?'
'Ja, lekker!'
'Dankjewel tante!'
Boris en Suus maken hun rol meteen open.
'Eet nou niet meteen alles op,' zegt mama. 'We gaan zo taart eten!' Ze duwt tante Tosca de kamer in. Het gonst er van de stemmen.
Boris en Suus stoppen allebei een handvol Smarties in hun mond en lopen terug de keuken in. Daar staat, midden op tafel, de verjaardagstaart die de bakker vanmorgen heeft gebracht. Vandaag is papa veertig geworden en dat moet natuurlijk gevierd worden. Boris en Suus mogen dadelijk de taart naar binnen dragen.
'Is iedereen er nu?' vraagt Boris.
'Volgens mij...' Suus wil antwoorden, maar er wordt weer gebeld. Meteen rent ze naar de voordeur. Zo, nu is zij lekker de eerste! Ze rukt de deur open. Daar staan Elly en Luuc, de overburen. Elly heeft een heel klein hondje op haar arm. 'Ooh!' roept Suus. 'Is dat hondje voor papa?'

'Gut nee!' zegt Elly verschrikt.
Luuc houdt een pakje omhoog. 'Dit is voor je vader. We hebben Timmie meegenomen omdat we hem niet alleen durfden te laten. Hij is nog zo klein. We hebben hem pas sinds gisteren.'
'Wat een schatje!' Suus aait het hondje over zijn kopje. Twee bruine schitteroogjes kijken haar aan. Een natte neus wordt tegen haar pols geduwd.
Boris staat natuurlijk alweer achter haar. 'Geef mij hem even!'
'Nee!' Suus geeft haar broer een duw.
'Geen ruzie!' sust Elly. Ze geeft het hondje aan Suus. 'Om de beurt. Dat moet kunnen. Jullie zijn toch geen kleuters meer.'
Met Timmie tegen zich aangedrukt, loop Suus de keuken in. Wat een schattig hondje! Ze voelt zijn hartje kloppen in haar hand.
'Geef mij hem nou!' Boris is haar achterna gekomen.
'Nee! Straks! Ik mag eerst!'
Suus laat Timmie de taart zien. 'Kijk, die is voor papa. Lekker hè? Allemaal slagroom. En vruchtjes. En amandel...'
'Nou ben ik aan de beurt!' Boris wil Timmie naar zich toe trekken.
'Nee!' Suus haalt uit. Op hetzelfde moment wurmt het hondje zich los en springt uit haar armen. Midden in de taart! Zijn pootjes zakken door het gebak. Zijn snoet verdwijnt in de slagroom.
Boris en Suus slaken allebei een gil. Timmie kijkt hen een beetje beduusd aan en niest de slagroom van zijn neus.
Suus grijpt hem net voordat hij op de grond wil springen. 'Dat is jóuw schuld!' Woedend kijkt ze naar haar broer.
Boris is bleek geworden. Met een hand voor zijn mond geslagen, staart hij naar de taart. Hij begint zacht te jammeren, zodat Suus nog bozer wordt. 'Doe de deur dicht!' snauwt ze. 'Zorg dat er niemand binnenkomt!' Zelf rukt ze een theedoek van een haakje en wrijft Timmie zo goed mogelijk schoon. Hij geeft haar een lik over haar neus, maar ze kan er niet om lachen.
Ze zet Timmie op de grond en boent nog snel over haar eigen T-shirt. Dan gooit ze de theedoek op het aanrecht.

Boris staat nog steeds als een standbeeld naast de gehavende taart.
'Dat krijgen we nooit meer goed,' zegt hij.
'Als je zo blijft staan niet nee!' Suus pakt een mes en probeert de taart weer in model te strijken. Dat lukt aardig, maar alle mooie slagroomkrullen zijn verdwenen. En de vruchtjes zien er ook niet meer zo smakelijk uit.
Suus kijkt om zich heen. De Smarties van tante Tosca! Ze schudt haar rolletje leeg boven de taart en pakt daarna die van Boris. Hij wil protesteren, maar bedenkt zich. De taart ziet er heel vrolijk uit met al die gekleurde snoepjes.
De keukendeur gaat open. Mama kijkt om het hoekje. 'Tijd voor

de taart!' zegt ze. 'Komen jullie?' Ze duwt de deur verder open. 'Denk erom dat jullie hem niet laten vallen hoor!' Dan pas ziet ze dat de taart er heel anders uitziet dan toen de bakker hem bracht.
'Wat is dat nu?' vraagt ze met opgetrokken wenkbrauwen.
Terwijl Suus nog druk bezig is om een antwoord te verzinnen, heeft Boris al een oplossing bedacht: 'Mooi hè mam? We hebben de snoepjes van tante Tosca erop gedaan. Nou is het een echte feesttaart geworden!'
Aan mama's gezicht is te zien dat ze hier niet helemaal blij mee is, maar ze zegt er niets over. 'Goed, kom maar!'
Heel voorzichtig tillen Suus en Boris de taart op en lopen ze achter mama aan de kamer in.
Daar begint iemand 'Lang zal hij leven' te zingen. Al gauw doet alle visite uitbundig mee.
Heel voorzichtig zetten de kinderen de taart voor papa neer.
'Hoera! Hoera! Hoera!' roept iedereen.
'Wat een prachtige taart!' zegt papa glunderend. Op zijn wangen zitten lippenstiftvlekken van alle verjaardagszoenen. 'Hij ziet er heerlijk uit! Zal ik hem in stukken snijden? Halen jullie bordjes en vorkjes, Suus en Boris?'
Suus en Boris rennen naar de keuken.
'Niemand heeft iets in de gaten!' Boris geeft Suus een por.
'Ik vind het eigenlijk wel een beetje vies.' Suus trekt haar neus op. 'Timmie heeft niet alleen met zijn poten in de taart gezeten, hij heeft er ook nog overheen geniest. Ik hoef zelf niks!'
Boris stapelt de gebaksbordjes op. Hij grijnst. 'Ik denk dat ik ook maar bedank, deze keer!'

Iedereen heeft taart gekregen en zit nu met smaak te eten. Elly vertelt over Timmie. Het hondje zit bij haar op schoot en kijkt rond als een vorst op zijn troon. Hij geniet volop van alle aandacht.
Boris en Suus zitten op de bank en knabbelen aan een kaasstengel. Ze zien dat de taart bijna helemaal op is. Suus slaakt een diepe

zucht. Ze is blij dat alles goed is afgelopen. Die stomme Boris ook altijd!
Plotseling merkt ze dat er aan tafel iets aan de hand is. Tante Tosca wappert met allebei haar handen. Haar gezicht is rood. 'Ik heb het benauwd,' zegt ze. 'Kan er een raam open?'
'Voel je je wel helemaal lekker?' vraagt papa.
Tante Tosca maakt het bovenste knoopje van haar bloesje los. 'Nee, bah, nee!' Ze grijpt naar haar keel.
'Wat is er aan de hand Tos?' Mama's stem klinkt bezorgd.
'Benauwd!' De stem van tante Tosca piept een beetje.
Alle visite staat op en wil weten wat er aan de hand is, maar papa duwt iedereen opzij. 'Uit de weg allemaal! Hier gaat iets niet goed!' Hij wenkt naar mama. 'Ik vertrouw dit niet!'
'Benauwd!' piept tante Tosca weer.
Suus pakt de hand van Boris. 'Wat gebeurt er?' vraagt ze.
Boris haalt zijn schouders op. 'Geen idee,' zegt hij schor.
'We gaan naar de eerste hulppost!' Papa duwt iedereen opzij en trekt tante Tosca mee.
'Zal ik rijden?' wordt er van verschillende kanten geroepen.
Maar mama heeft de autosleutels al gepakt.

Boris en Suus zitten op het bed van Suus. Ze bijten allebei op hun nagels. Beneden wordt er nog maar zacht gepraat, maar toch dringt er af en toe een geluid door. Iedereen wacht op nieuws over tante Tosca.
Meteen nadat papa en mama met haar waren vertrokken, zijn Boris en Suus naar boven gegaan. Eerst durfde geen van tweeën iets te zeggen, maar toen zeiden ze het bijna tegelijk: 'De taart.'
'Ze had de taart op en toen werd ze ziek.' Boris stopt zijn duimnagel in zijn mond.
'Maar de andere mensen niet!' Suus wrijft over haar buik die een beetje pijn doet van de spanning. 'Misschien heeft tante Tosca het stuk gekregen waar Timmie overheen nieste.'
Boris knikt. 'Dat zat natuurlijk vol bacteriën.'

Ze zwijgen een hele poos.
'We hadden het moeten vertellen,' zegt Suus dan. Ze moet bijna huilen.
Ook Boris moet een paar keer flink slikken. Ineens springt hij op. 'Er is nog een stuk taart over. Laten we dat maar snel weggooien!'
Samen gaan ze naar beneden, nog steeds met bedrukte gezichten. Niemand let op hen, zodat ze het stuk taart ongemerkt mee kunnen nemen naar de keuken. Daar laten ze het in de afvalbak verdwijnen.
'Nu wordt er tenminste niemand meer ziek van!' zegt Boris.
In de kamer rinkelt een mobieltje. Meteen is alle visite stil. Boris en Suus gaan snel terug de kamer in.
Iedereen kijkt naar de oom die de telefoon heeft aangenomen. Het is oom Bram. 'Ja?' horen ze hem zeggen. 'Ja? Ja? Ja? Wat? O ja?'
Gespannen luistert iedereen mee. Dan verschijnt er een grote glimlach op zijn gezicht. 'Mooie boel!' zegt hij. 'Nou, de groeten aan Tos en tot zo!'
'Was dat papa?' vraagt Suus. Ze wrijft haar handpalmen af aan haar rok. Ze zijn helemaal nat.
'Ja!' Oom Bram stopt zijn mobiel terug in zijn zak.
'Is alles goed met Tosca?' vraagt een andere oom.
Oom Bram knikt. 'Zo gezond als een vis!' Hij kijkt de kamer rond en wijst op een boeket voorjaarstakken. 'Daar is de boosdoener! Tosca is overgevoelig voor pollen!' Hij staat op. 'Ik zal die vaas maar gauw buiten zetten. Over tien minuutjes is iedereen weer terug!' Hij kijkt een beetje schuldig. 'Dat boeket was nota bene míjn verjaardagscadeau!'
Terwijl oom Bram met de vaas naar de tuindeur loopt, begint iedereen weer door elkaar te praten.
Suus en Boris zakken op de bank neer. Suus moet een beetje giechelen, zo opgelucht is ze.
Boris rolt met zijn ogen en doet alsof hij het zweet van zijn voorhoofd wist.

Oom Bram komt terug de kamer in. ‘Het feest kan weer doorgaan!’ roept hij vrolijk. ‘Is er nog taart? Ik lust nog wel een stukje.’

Van Mieke van Hooft verscheen onder andere:

Beroemd
Brulbaby’s
De lachende kat
De suikersmoes
De tasjesdief
De truc met de doos
De verdwenen oma
Geen geweld
Het doorgezaagde meisje
Het gillende jongetje
Het grote boek van Sebastiaan
Het prijzenmonster
Piratenfeest / Hier waakt de goudvis
Raadsels
Roza je hoed waait weg
Roza je rok zakt af
Stamp stamp olifant
Treiterkoppen
Weg met de meester
Woedend zwart
Zwijgplicht

zie ook: www. miekevanhooft.nl

Maaike Fluitsma

Een feestje dicht bij huis

Isis liep de klas binnen. In haar hand brandden de uitnodigingen voor haar verjaardagspartijtje. Zes waren het er. Een beetje zenuwachtig was ze wel. Nooit eerder had ze een feestje gegeven. Dit werd haar allereerste. Als iedereen maar wilde komen! Ze had de namen van de kinderen zo mooi mogelijk met stift geschreven. En de tekeningen op de voorkant zelf gemaakt en ingekleurd.
'Mag ik deze uitdelen?' Isis liet de kaarten aan juf Alma zien.
'Wat leuk. Zelfgemaakte uitnodigingen,' zei juf Alma. 'Geef je een feestje?'
Isis knikte en voelde hoe haar wangen kleurden. Had ze juf soms moeten uitnodigen? Dat deed Kitty ook altijd.
'Als je snel bent, kan het nog wel even,' zei juf. Ze pakte een paar schriften van haar bureau en legde ze in de kast achter zich.
Isis liep meteen naar Kitty. 'Hier!' Ze duwde de kaart in haar handen.
'Mag je toch een feestje geven?' vroeg Kitty. 'Leuk!'
Isis knikte. Ze had er inderdaad lang om moeten zeuren. Bij haar thuis was er nu eenmaal weinig geld voor dat soort dingen. Bij Kitty was dat anders. Die vierde haar verjaardag elk jaar met een feestje. Er mochten wel tien kinderen komen en dan gingen ze naar het zwembad, de dierentuin of er kwam een goochelaar bij hen thuis. Iedereen wilde altijd naar haar verjaardagspartijtje. Isis ook. Maar zij was nog nooit uitgenodigd.
'Waar gaan we heen?' vroeg Kitty. Ze draaide het kaartje om en bekeek de voorkant. 'Er staat niets op. Alleen een rare tekening van een kist waar een ketting uit hangt.'
Isis slikte een keer. Op die rare tekening had zij heel erg haar best gedaan. Ze beet op haar lip. Was het wel slim geweest om Kitty ook uit te nodigen? Straks vond ze er helemaal niets aan.
'Het is een verrassing,' zei ze snel. 'Het wordt heel leuk,' maar

toen ze dat zei, kromp haar maag een beetje in elkaar.
'Ben je bijna klaar?' vroeg juf. Ze legde haar hand op Isis' schouder.
Snel liep Isis door en deelde de rest ook uit.

Isis hoorde de helft niet van wat de juf even later vertelde. Dat kwam doordat een andere stem in haar hoofd veel harder klonk. De stem van Kitty met de vraag: 'Waar gaan we heen?'
En dat was het probleem. Want ze gingen helemaal nergens heen. Ze bleven gewoon in de buurt van het huis. Was dat wel leuk genoeg voor een feestje? Toen haar moeder het vertelde, klonk het geweldig. Maar nu... Was het niet te kinderachtig? Of te stom? Te saai? Ze kauwde op de achterkant van haar potlood en begon al een beetje spijt te krijgen dat ze zo doorgezeurd had om een feestje. Het kon nooit zo gaaf zijn als bij Kitty. En iedereen zou het daarmee vergelijken.
'Werk je nog door, Isis?' vroeg van juf Alma.
Vlug boog ze zich over haar schrift maar een tel later gluurde ze alweer onder haar haar door naar Kitty. Die fluisterde iets tegen Casper. Daarna moesten ze samen lachen. Zou het over haar uitnodiging gaan? Snel keek ze naar haar schrift. De lettertjes op het papier dansten voor haar ogen. Als Kitty niets aan haar feestje zou vinden, vond Casper het ook niet leuk want die praatte Kitty altijd na. Isis zette haar potlood op het papier en begon een beetje te krassen. Stom eigenlijk dat hij dat deed. Hij leek soms wel een papegaai. Ze keek om zich heen en zocht de andere kinderen die ze had uitgenodigd. Wouter, Brahim, Marjolein en Hafida. Zij waren allemaal aan het werk. Bij Brahim lag de uitnodiging op de hoek van zijn tafel. De pijn in haar buik zakte weer een beetje. Brahim was altijd lief. Hij had zelfs gezegd dat de tekening aan de voorkant zo mooi was. Ze zuchtte. Misschien werd het toch een leuk feestje, ook al gingen ze niet ver weg.

In de pauze stonden Kitty en Casper bij het klimrek te praten. Isis liep er naartoe.

'Ik denk dat we naar het zwembad gaan,' zei Casper. 'Lekker van de grote glijbaan, bommetjes maken en daarna patatjes eten. Gaan we dat doen, Isis?'
'Tuurlijk niet, sufferd,' riep Kitty. 'Dan had er toch wel bij gestaan dat je je zwemkleren mee moest nemen. Nee, ik denk dat we naar het circus gaan. Dat is nu in de stad. Is dat het?'
Isis schudde haar hoofd. Misschien kon ze nu maar beter zeggen dat ze nergens naartoe gingen en bij huis leuke dingen gingen doen. Maar wilden ze dan nog wel komen?
'Wat zijn jullie aan het doen?' Brahim kwam bij hen staan.
'We proberen te raden wat we gaan doen op Isis' feestje,' zei Kitty. 'Het is geen circus en geen zwembad. Wat denk jij?'
Brahim haalde zijn schouders op. 'Als wij een feestje geven, blijven we altijd thuis. Dan eten en drinken we lekkere dingen die mijn moeder heeft gemaakt. En de grote mensen zitten dan bij

elkaar te praten en de kinderen doen een spelletje in een andere kamer.'
Isis keek verrast op. Brahim ging dus ook nergens heen. Ze deed haar mond al open om te vertellen dat zij ook nergens heen zouden gaan toen Kitty en Casper een gek gezicht trokken.
'Wat saai!' riep Kitty.
'Wat saai!' riep Casper. 'En dan al die oude mensen erbij. Daar is toch niets aan?'
Isis sloot haar mond weer. Haar moeder zou er ook de hele middag bij zijn.
'Ik vind het wel altijd leuk,' zei Brahim. 'Ik zie mijn neefjes en nichtjes dan weer eens.'
'Nou, mij hoef je niet voor dat feestje uit te nodigen hoor,' riep Casper lachend. 'Dus vertel ons nu maar snel wat we met jou gaan doen, Isis. Gaan we naar een museum? Of gaan we karten.'
'Misschien gaan we wel naar de film,' riep Kitty. 'Of naar de schaatsbaan of...'
En terwijl ze allemaal dingen opsomden kwam de pijn in Isis' buik langzaam terug. Want een speurtocht in de buurt van het huis werd niet genoemd.

'Ben je zo zenuwachtig voor het feestje straks?' vroeg Isis' moeder. 'Je eet al een paar dagen slecht en je bent zo stil.'
Isis schoof een stukje brood over haar bord. Zou ze vertellen wat haar dwars zat? Dat die speurtocht vanmiddag te kinderachtig was. Te saai. En dat de kinderen uit haar klas dan nooit meer naar haar feestje wilden komen. Of dat zij dan nooit uitgenodigd zou worden bij iemand anders.
'Je hoeft je nergens zorgen om te maken,' zei haar moeder. Ze woelde even door Isis' haar. 'Alles is geregeld. Ik vind het zo leuk om te doen. En kijk eens wat prachtig weer. Er kan gewoon niets misgaan.'
Isis probeerde te glimlachen. Haar moeder klonk zo enthousiast. Ze werd er zelf ook weer een beetje blij van. Maar wat als de

anderen het nu helemaal niet leuk vonden? De blijheid zakte weer weg. Ze zuchtte en kauwde op een stukje brood zonder iets te proeven. Wat kon een feestje geven moeilijk zijn.

Een uur later was het eindelijk zo ver. Isis deed open toen de bel ging en liet haar klasgenootjes binnen. In de kamer deelde ze limonade en koek uit. Zelf at ze heel langzaam zodat ze geen moeilijke vragen hoefde te beantwoorden. Net toen ze uitgegeten was en Kitty vroeg wat ze zouden gaan doen, ging de deur open. Isis' moeder kwam verkleed als een heel deftige dame binnen. In haar hand had ze een oude geheimzinnige koffer die ze op tafel zette. Iedereen was meteen stil. De deftige dame ging zitten, streek haar jurk glad en begon te vertellen...
'Vannacht is er in mijn kasteel ingebroken en hebben lelijke boeven mijn juwelenkist gestolen. Daar ben ik heel verdrietig om.' Even viel er een stilte toen ze met een kanten zakdoekje haar ogen depte. 'Er zaten nog spullen van mijn grootmoeder en overgrootmoeder in,' snikte ze. 'En omdat ik alles heel graag terug wil, heb ik jullie uitgenodigd mij te helpen. Want volgens mij zijn jullie allemaal goede speurneuzen. Klopt dat?'
Isis hield haar adem in en keek haar klasgenootjes aan.
'Ja,' riepen ze allemaal tegelijk.
'Pffff...' Er ontsnapte wat lucht bij Isis.
'Het is niet gemakkelijk,' ging de deftige dame verder. 'En soms is het zelfs een beetje gevaarlijk. Maar willen jullie mij helpen?'
'Ja!' riepen ze opnieuw. 'Graag!' Kitty's wangen waren helemaal rood van opwinding, zag Isis. De pijn in haar buik trok eindelijk weer wat weg en ze durfde zelfs te lachen om haar moeder.
De deftige dame deed de koffer open. Iedereen rekte zijn nek om te kijken wat erin zat. 'Maar speurder word je niet zomaar,' zei de deftige dame op geheimzinnige toon. 'En ik wil alleen de allerbeste. Daarom krijgen jullie hier je eerste opdracht. Maak een mooie speurdershoed. Wie dat kan, mag mij daarna helpen zoeken naar mijn juwelen.'

'Wat was het vanmiddag ontzettend spannend en leuk,' zei Brahim. Hij plofte op de bank en trok zijn zakje chips open.
'Sommige dingen waren best moeilijk,' zei Casper. 'Zoals die kaarten vinden met opdrachten zodat we konden ontdekken waar de juwelenkist begraven lag. Wel heel cool.'
'Het is het leukste verjaardagsfeestje waar ik ooit ben geweest,' zuchtte Kitty. 'Wat denk je, Isis? Zou je moeder volgende keer voor mijn verjaardag ook zoiets willen bedenken?'

Isis grijnsde. Alle buikpijn was voor niets geweest want een groter compliment had ze niet kunnen krijgen. Een ding wist ze nu zeker. Ook dicht bij huis kun je heel leuke feestjes geven!

Van Maaike Fluitsma verscheen eerder:

Toby en Kat 4-ever

Goud, juwelen en rum!

Kruisende zwaarden

Lobo lost het op

zie ook: www.maaikefluitsma.nl

Henk Hardeman

Katinka en de taartentantes

Katinka en Esmee zijn hartsvriendinnen, al bijna een jaar lang. Esmee is binnenkort jarig, aanstaande zondag al. Maar ze heeft Katinka nog steeds niet uitgenodigd. Ze zal mij toch niet vergeten zijn, denkt Katinka.

Als de school is afgelopen, stapt ze op Esmee af. 'Geef je nou nog een feestje?'

Esmee kijkt moeilijk. 'Nee,' zegt ze dan.

'Waarom niet? Feestjes zijn toch leuk?'

'Die van mij niet,' zegt Esmee sip.

'Maar je krijgt cadeautjes!' zegt Katinka. 'Er zijn slingers. En taart,' voegt ze er verlekkerd aan toe.

Bij het woord 'taart' krimpt Esmee even in elkaar.

'Wat is er? Hou je niet van taart?'

'Jawel,' zegt Esmee. 'Maar…'

Katinka zet haar handen in haar zij. 'Zijn we soms geen hartsvriendinnen meer?' vraagt ze dan een beetje jaloers. 'Nodig je stiekem andere vriendinnen uit?'

'Ik nodig helemaal niemand uit!' roept Esmee opeens boos. En ze rent het schoolplein af.
Katinka snapt er niets van. 'Ik ga spioneren,' zegt ze tegen zichzelf. 'Bij het huis van Esmee. Op haar verjaardag. Zie ik vanzelf of ze liegt.'
Katinka rent naar huis. Op haar kamer bedenkt ze een plan. Ze zal naar Esmees huis sluipen. Dan zal ze zich in haar tuin verstoppen, tussen de struiken, en door de ramen kijken. Met een verrekijker. Dan zie ik gauw genoeg of er een feestje is, denkt ze. En wie er wel zijn uitgenodigd. En of er een taart is. En cadeautjes. O wee als Esmee gelogen heeft!

Die zondag staat Katinka vroeg op. Van de spanning heeft ze nauwelijks geslapen. Vandaag gaat ze bij Esmee spioneren!
De vorige avond heeft ze haar rugzakje ingepakt. Er zit een verrekijker in. Twee pakjes sap, een appel en een krentenbol. Voor als het lang gaat duren. En een kladblok en een pen. Voor als ze iets moet opschrijven. Verder nog een heksenpruik, een nepbril en een prinsessenjurk. Voor als ze zich moet vermommen.
Ze weet natuurlijk niet hoe laat het feestje begint. Als er al een feestje is. Daarom wil ze zo vroeg mogelijk vertrekken. Misschien slapen Esmee en haar moeder nog, dan kan ze zich in hun tuin verstoppen zonder dat ze er iets van merken! Ze doet haar rugzak om en loopt op haar tenen de trap af. In de keuken legt ze op tafel een briefje neer:

Hoi mam en pap,
Ben de hele dag in het bos, vogeltjes kijken.
Voor het avondeten weer thuis!
xxx,
Katinka

Zo, denkt ze, hoeven ze zich niet ongerust te maken.
Zo zachtjes mogelijk draait Katinka de sleutel van de achterdeur

om. Even later glipt ze naar buiten. Esmee woont maar een paar straten verderop, in een huurhuis, toch is het een heel andere buurt. De huizen zijn er veel kleiner en ze zien er niet zo mooi uit als dat waar zij in woont.
Zodra Katinka bij het huis van haar vriendin komt, duikt ze achter de hoge heg die eromheen loopt. Ze weet dat er een gat is waar ze doorheen kan. Als ze het heeft gevonden, kruipt ze erin. Ze komt tussen hoge struiken terecht.
Katinka zoekt een plekje van waaruit ze het huis goed kan zien en pakt de verrekijker. Alle gordijnen zijn nog dicht. Mooi. Ze legt de kijker weg en kijkt op haar horloge: half acht. Haar maag knort. Ze pakt de krentenbol en neemt een grote hap.

Trrrringgggg!! Katinka wordt wakker en zoekt naar de knop van haar wekker. Dan weet ze het weer. Ze ligt niet meer in haar bed, ze zit in de tuin van Esmee! Ze schrikt als ze ziet hoe laat het is: half elf. 'Ik heb twee uur geslapen!' mompelt ze. 'Als ik maar niks gemist heb.'
Voor de deur van het huis staan drie dames. Die hebben natuurlijk net aangebeld. Maar het zijn niet zomaar dames, het zijn Hele Dikke Dames. Wel vier onderkinnen hebben ze, en blubberende armen en benen. Alle drie dragen ze een tentjurk met bloemetjes. Hun haren zitten keurig in de krul.
'Joehoe!' jodelt de voorste. 'Esmeetje, we zijn er! Je tantetjes!'
'Staan de taarten al klaar?' roept de middelste.
'En is de koffie al bruin?' vraagt de laatste.
Snel pakt Katinka de kijker en speurt het huis af. De gordijnen zijn open. Ze stelt scherp op de ramen van de woonkamer en ziet… *taarten*! Reusachtige slagroomtaarten. Ze telt er wel drie! Op de eettafel staan verder nog koffiekopjes en een thermoskan. En daarnaast een schaaltje met een berg suikerklontjes.
Wat een liegbeest! Esmee geeft wél een feestje! Katinka is boos en verdrietig. Ze zal naar binnen gaan en zich ergens verstoppen. Als ze genoeg weet, zal ze het Esmee onder haar neus wrijven. 'En dan maak ik het uit!!'

Katinka stopt alles terug in haar rugzak. Alleen het kladblok en de pen neemt ze mee. Ze duwt de rugzak onder een struik. Dan rent ze naar de achterdeur van Esmees huis en komt in de keuken. Er is niemand. De deur tussen de keuken en de woonkamer staat halfopen. Ook daar is geen mens. Vanuit de gang hoort ze gelach en gepraat en natte zoengeluiden.
Katinka glipt vanuit de keuken de kamer in en duikt onder de eettafel. Er ligt een plastic kleed overheen dat tot op de grond hangt. Niemand zal haar zien en zij kan door een kiertje mooi alles in de gaten houden.
Opnieuw valt het haar op dat er niet veel in de woonkamer staat. En wat er staat is oud en verveloos. Esmee speelt altijd liever bij haar. Katinka snapt wel waarom, bij haar thuis is het veel gezelliger. Bovendien heeft zij de nieuwste spelletjes voor op de computer. Esmee en haar moeder hebben er ook een, maar die is stokoud. Hij kreunt als je hem opstart.
Het gelach en gepraat komt de kamer binnen.
'Kindje, wat ben je gróót geworden!' kirren de tantetjes. Ze ploffen naast elkaar op de bank neer, ziet Katinka. De bank kraakt onder hun gewicht. 'Je moet toch echt eens een nieuwe kopen hoor,' zeggen de tantes tegen de moeder van Esmee.
'U weet dat ik daar helaas geen geld voor heb, tante,' antwoordt ze.
Dan houden de tantetjes Esmee alle drie een piepklein cadeautje voor. 'Alsjeblieft, Esmeetje! Van harte!'
'Dank u wel,' zegt Esmee als ze de cadeautjes aanpakt.
Ze klinkt niet erg blij, denkt Katinka. Wat zou erin zitten?
Esmee haalt het bloemetjespapier van de cadeautjes. In het eerste pakje zit een zeepje. In het tweede een geurtje. En in het derde een sponsje.
'Het zat allemaal bij elkaar,' zegt een van de tantetjes. 'Maar we hebben er verschillende pakjes van gemaakt. Leuk hè? Krijg je drie cadeautjes in plaats van eentje!'
Esmee knikt braaf. 'Net als vorig jaar,' zegt ze vlak. 'Wat leuk. Dank u wel.'

‘En dan nu taart en koffie!’ roepen de tantetjes in koor.
De moeder van Esmee komt al met drie grote taartpunten. Katinka ziet dat zij ook niet echt vrolijk kijkt. Esmee brengt drie kopjes koffie. In elk kopje gaan vier klontjes suiker en een scheut koffiemelk.
‘Alstublieft, tantes,’ zeggen Esmee en haar moeder.
De tantetjes kijken naar de koffie. ‘Waar is de slagroom?’ vragen ze knorrig.
‘Slagroom?’ zegt Esmees moeder. ‘Het spijt me. Helemaal vergeten!’
‘Volgende keer aan denken hoor!’ zeggen de tantetjes met volle mond. ‘Je moet je erfenis wel verdienen, kind!’
Erfenis? Katinka snapt er niks van. Waar gaat dat nou weer over?
‘Ja, als wij er straks niet meer zijn,’ zegt een van de tantetjes, ‘dan gaan al onze sieraden naar jou!’
‘En al het geld dat we op onze spaarrekening hebben staan,’ zegt een ander tantetje. ‘Kun je eindelijk een nieuwe bank kopen!’
‘En vergeet onze dure schilderijen niet,’ voegt de derde er luid smakkend aan toe. ‘Een echte Heibroer, en een Bermbrandt. En ons topstuk, een vroege Mondriani!’
Na de eerste taartpunt volgen er meer. En het ene kopje na het andere wordt leeggeslurpt. Waar láten ze het allemaal, denkt Katinka. Ze krijgt steeds meer medelijden met Esmee en haar moeder. Katinka begrijpt nu wel waarom ze die verschrikkelijke tantes zo verwennen. Ze hopen dat ze ooit al dat geld en zo zullen krijgen, dan zijn ze niet arm meer.
‘Nog een stukje taart, tantes?’ vraagt Esmees moeder.
De tantetjes schudden alle drie het hoofd. ‘Chips!’ roepen ze, met een snor van de slagroomtaart op hun bovenlip. ‘Nu willen we chips en priklimonade! En spekkies! Een heleboel!!’
Esmees moeder loopt naar de keuken. Ze kijkt naar haar dochter. ‘Help jij even mee?’
‘Goed, mam,’ zucht Esmee.
Als de keukendeur achter hen dichtvalt, kijken de tantetjes elkaar

aan. Ze wrijven verlekkerd in hun handen en grinniken gemeen. 'Ze trappen er altijd weer in!' zegt een van hen. 'Als ze eens wisten...'
'...dat we helemaal niet stinkend rijk zijn!'
Ze stoten elkaar aan en proesten het uit.
'Ssst! Daar komen ze weer!' sist de derde tante.
De tantetjes hebben hun gezicht weer keurig in de plooi als Esmee naar de tafel loopt met twee lege bakken.
Katinka krijgt een idee. Snel schrijft ze iets op haar kladblok. Zachtjes scheurt ze het blaadje af en schuift het onder het kleed door. Ze hoort dat Esmee het opraapt. Even later klinkt er een kreetje. Katinka's hart bonst. Zal het lukken?
'Mam!' roept Esmee dan. 'Ik doe alles verder wel!'
Esmees moeder legt een pak servetjes op tafel en zakt dan dankbaar neer in een makkelijke stoel.
'Wat een heerlijke dochter heb je toch!' glunderen de tantetjes.
Katinka ziet dat Esmee weer naar de keuken gaat, met de glazen op een dienblad. Als ze terugkomt, zijn de glazen gevuld met bruisende priklimonade. Ernaast liggen geopende zakken chips.
Zou ze gedaan hebben wat ik haar heb gevraagd, denkt Katinka.
'Alstublieft,' zegt Esmee als ze de tantetjes de bakken met lekkers voorzet en de glazen met prik.
'Dank je, kindje!'
Gespannen kijkt Katinka van onder het plastic kleed toe.
De tantes proppen een handvol chips in hun mond, gevolgd door een stel spekkies. Meteen beginnen ze te hoesten en te proesten.
'Bah! Véél te scherp! En we hebben nog nooit zúlke vieze spekkies gegeten!!'
'Ik snap er niets van!' zegt Esmees moeder onthutst.
'Drink wat van de limonade, tantes,' zegt Esmee liefjes. 'Dan spoelt u die vieze smaak zo weg.'
De tantetjes knikken. Ze slurpen de limonade naar binnen en laten alle drie een boer. Met schuimende lippen roepen ze: 'Jakkes! Dat spul smaakt naar zeep! Geef ons nog maar een stuk taart. Die was tenminste lekker!'

Maar ook de taart valt niet meer in de smaak. Na het eerste hapje zien de tantetjes groen en geel. Na het tweede komen ze overeind. Op een holletje verlaten ze het huis. 'Dit is de laatste druppel!' roepen ze. 'Jullie zien ons hier nooit meer! Naar die erfenis kunnen jullie fluiten!!'
Esmees moeder rent achter hen aan. 'Tantes!'
Esmee tilt een randje van het tafelkleed op. Ze grijnst. 'Je kunt tevoorschijn komen hoor.'
'Het is gelukt hè?' zegt Katinka.
Esmee knikt. 'Ja, het is gelukt. Dank je wel! Wat een goed idee van je om peper op de chips en de spekkies te doen, en afwasmiddel in de prik! Gelukkig had ik voor alle zekerheid ook nog wat peper op de taart gedaan. Wat een smiechten zeg, om te liegen over hun zogenaamde rijkdom! Mam vindt het vast niet erg, als ze alles weet. Maar wat deed jij nou onder onze tafel?'
Snel legt Katinka alles uit. 'Maar nu snap ik waarom je me niet

hebt gevraagd,' zegt ze dan. 'Zijn we nog steeds hartsvriendinnen?'
'Tuurlijk!' zegt Esmee. 'En gelukkig is er nog een hoop lekkers waar géén peper op zit, want nu gaan we mijn verjaardag écht vieren!'

Van Henk Hardeman verscheen onder andere:

De prinses van Ploenk
De pirate van Ploenk
Paniek in Ploenk
De bastaard van de hertog
Het rijtjespaleis
Zebedeus en het Zeegezicht
De schaduw van Zwarterik

zie ook: www.henkhardeman.nl

Gonneke Huizing

Chimpie

Als Storm wakker wordt, is het nog helemaal donker en in huis is het erg stil. Hij knipt het kleine lampje bij zijn bed aan en kijkt zijn kamertje rond. Naar de knuffels op de plank, naar zijn klerenkast, naar de bult speelgoed in een hoek van zijn kamer en alle autootjes die overal verspreid over de vloer liggen.
Even weet hij niet wat er aan de hand is, maar dan opeens schiet het hem weer te binnen. Hij is jarig! Hij is meteen klaarwakker en gaat zitten. 'Jarig. Ik ben jarig!' zegt hij hardop. Het klinkt gek hard door zijn stille kamer.
Gisteravond zei mama: 'Als je morgen wakker wordt, dan ben je jarig.'
Maar… is het eigenlijk al wel morgen? Nee, het is nog nacht. En in de nacht ben je niet jarig. Daar heeft mama niks over gezegd.
Teleurgesteld doet Storm het lichtje weer uit, gaat liggen en knijpt zijn ogen stijf dicht. 's Nachts moet je slapen. En als je slaapt, is het bovendien sneller morgen en dan is hij jarig. Dan wordt hij zes jaar.

Maar hoe hij ook zijn best doet, hij kan niet meer slapen. Het kriebelt in zijn buik, als hij denkt aan de cadeaus die hij gaat krijgen, aan de taart met zes kaarsjes, aan de traktatie voor de klas die in de koelkast al klaarstaat en aan…
'Gefeliciteerd met je verjaardag,' hoort hij opeens fluisteren.
Hij spert zijn ogen wagenwijd open. Wie praat daar tegen hem. Is het mama of papa? Of is het Vlinder, zijn kleine zusje? Nee, dat kan natuurlijk niet, Vlinder is nog veel te klein, die kan nog niet praten.
Nu hoort hij allerlei zachte geluidjes. Hij schrikt er een beetje van. Hij kijkt rond, maar kan niets ontdekken.
'Je weet niet wie er praat, hè?' hoort hij.

'Nee.' Storm schudt zijn hoofd.
'Ik ben het, Chimpie!'
Chimpie? Storm komt stomverbaasd overeind. Chimpie is de knuffelaap, die hij voor zijn eerste verjaardag kreeg. Lange tijd was Chimpie zijn liefste knuffel.
'Kun jij praten?' vraagt hij.
'Ja, dat hoor je toch?' Chimpie springt tussen de andere knuffels vandaan, maakt een koprol op Storms bed en belandt met een reuzensprong boven op de klerenkast.
'Wauw!' Storm kijkt vol bewondering omhoog. 'Hoe kun jij dat?'
'Gewoon.' Chimpie springt op vier poten heen en weer op de klerenkast.
'Maar anders doe je nooit wat!' zegt Storm beteuterd.
'Dat is waar,' zegt Chimpie. 'Lievelingsknuffels doen alleen wat als hun baasje in de nacht van hun verjaardag wakker wordt. En jij zei zo net hardop, ik ben jarig, en daar werd ik wakker van.' Hij springt van de kast, grijpt zich vast aan de lamp, zwaait even heen en weer en belandt dan op Storms bed. 'Gefeliciteerd.'
'Ik ben morgen pas jarig,' zegt Storm. 'Niet in de nacht.'
'Tuurlijk ben je wel jarig,' zegt Chimpie. 'Het is al twaalf uur geweest. De nieuwe dag is om twaalf uur vannacht begonnen.'
'O,' zegt Storm en hij stapt uit bed.
'Wat ga je doen?' vraagt Chimpie.
'Naar papa en mama. Ik krijg cadeautjes en taart!'
'Niet doen!' Chimpie pakt met twee pootjes Storms hand vast. 'Papa en mama slapen nog.'
'Maar ik ben jarig!' roept Storm.
'Dat wel,' zegt Chimpie, 'maar het is nog te vroeg. Papa en mama worden boos als je ze wakker maakt.'
'Mijn papa en mama niet, hoor,' zegt Storm, maar hij blijft toch staan.
'Mag ik morgen met je mee naar school?' vraagt Chimpie.
'Dat mag alleen op speelgoeddag,' zegt Storm.
'Waarom ben ik dan nog nooit mee geweest?' vraagt Chimpie. 'Je

vindt die auto's zeker leuker dan mij!'
Storm wordt een beetje rood. 'Nee hoor,' zegt hij gauw.
'Bewijs het dan!' Chimpie belandt met een sprong op Storms schouder. 'Bewijs het en neem me morgen mee.'
Storm denkt na. Wat zullen zijn vrienden ervan zeggen als hij morgen met een knuffelaap op school komt. Ze zullen hem uitlachen en misschien wel uitschelden voor baby. Opeens voelt hij druppels in zijn nek. 'Huil je?' vraagt hij verschrikt.
'Jahaaa,' snikt Chimpie.
'Maar waarom wil je dan zo graag mee?' wil Storm weten. Hij heeft ontzettend veel medelijden met zijn huilende knuffelaap.
'Nou, als mama jou 's avonds komt onderstoppen, vertel je haar altijd van school,' zegt Chimpie. 'En daarom weet ik dat het op jouw school héél leuk is.' Hij veegt met zijn poot langs zijn neus en snuift een paar keer heel hard.
Storm denkt na. Vroeger was Chimpie er altijd voor hem, bijvoorbeeld als hij bang was in het donker of eng gedroomd had. Dan legde hij zijn hoofd op Chimpies buik en viel zo in slaap. Nu moet hij iets terug doen. 'Goed dan,' zegt hij.
Chimpie springt op en neer op Storms schouder. 'O, ik kan vast niet slapen. Ik vind het zo leuk dat ik een keer met je mee naar school mag. Ik blijf de hele nacht wakker.'
'Ik kan ook niet meer slapen!' Storm zucht heel diep.
'Ik kom bij jou in bed,' zegt Chimpie en hij kruipt onder het dekbed.
Storm schuift ernaast. Het is lang geleden dat hij zo met zijn knuffel in bed lag. Toen hij vijf werd, vond hij zichzelf te groot om met een knuffel te slapen en daarom kreeg Chimpie een plekje tussen de andere knuffels op de plank.
'Gezellig hè?' Chimpie legt zijn handje op Storms arm.
'Nou!' Storm slaat zijn armen om zijn knuffel heen. 'Echt wel.'

'Er is er een jarig, hoera, hoera, dat kun je wel zien dat is hij!'
Storm schrikt wakker en wrijft zijn ogen uit.

Voor zijn bed staan papa en mama met de kleine Vlinder.
Storm kijkt meteen naar zijn knuffel, maar die ligt stilletjes naast hem.
Papa en mama geven Storm een dikke zoen als ze uitgezongen zijn. Mama zet Vlinder even bij hem op bed en hij krijgt ook een zoen van zijn zusje, eigenlijk meer een lik, want Vlinder is nog te klein om echte kusjes te geven.
'Ga maar gauw naar je cadeau kijken,' zegt papa.
Storm springt uit bed en holt naar de deur. Hij is al bij de trap als hij iets bedenkt. Hij rent terug naar zijn kamer en pakt Chimpie uit bed.
'Kom mee naar mijn cadeau kijken!'
Chimpie zegt niets. Hij kijkt alleen maar blij.

Midden in de woonkamer staat zijn cadeau. Storm ziet meteen dat het een fiets is. Hij trekt het papier los en dan ziet hij de mooiste fiets van de wereld. Hij is zilverkleurig met hier en daar een beetje oranje.
Hij is er helemaal stil van, zo mooi vindt hij hem.
'Kijk, Vlinder heeft ook iets voor je,' zegt mama.
Vlinder zet het op een brullen als Storm het cadeautje wil pakken. Mama geeft haar gauw haar tuitbekertje met melk en dan wil Vlinder het pakje wel los laten.
Storm scheurt het papier los. Het is een kilometerteller. Nu kan hij altijd zien hoe hard hij rijdt. Gelukkig maar dat hij de getallen tot honderd al geleerd heeft!
'Wauw!' Hij strijkt met zijn wijsvinger over de kilometerteller.
Onder het eten kijkt Storm steeds naar zijn nieuwe fiets. Hij kan er vast en zeker vet hard op. Hij kan bijna niet wachten om hem te proberen.

Eindelijk is het zover. Storm stapt op zijn fiets. Hij sjeest de straat uit en weer terug. Het wijzertje van zijn kilometerteller staat bij de vijfentwintig en af en toe zelfs bij de dertig! Als mama naar

buiten komt met de kleine Vlinder om hem naar school te brengen, is hij helemaal bezweet.
'Nu niet zo hard fietsen, jochie,' waarschuwt mama, 'anders kan ik je niet bijhouden.'
Storm doet zijn best om langzaam te rijden.
'Je rijdt maar twintig,' zegt hij tegen mama.
'Dat is hard genoeg in het verkeer,' meent mama. 'Je moet altijd goed uitkijken, hoor!'
'Tuurlijk!' Storm knikt ongeduldig. 'Ik ben toch al groot!'
'Da's waar.' Mama lacht. 'Maar eh... zag ik je vanochtend niet met Chimpie?'
'Chimpie!' Storm remt zo hard dat zijn achterwiel wegglijdt.
'Ben je nou mal?!' roept mama uit.
'Ik ben Chimpie vergeten! En ik had het beloofd.'
'Wat beloofd?'
'Dat Chimpie mee naar school mocht.'
'Aan wie beloofd?' vraagt mama verbaasd.
Storm zucht. Hij kan het mama niet uitleggen. Die zou het niet begrijpen.
'Ik ga Chimpie halen.' Storm draait zijn fiets en racet ervandoor.
'Niet zo hard!' roept mama, maar Storm luistert niet.
Thuis ligt Chimpie een beetje zielig op de bank. Ziet Storm het goed? Is zijn snuit een beetje nat? Snel wrijft hij er met zijn hand overheen. 'Ik was je niet echt vergeten hoor,' mompelt hij.
'Ben je nu helemaal besuikerd?' Mama komt ook de kamer binnen. Ze is echt een beetje boos op Storm. 'Wat is dat voor malligheid? Ik wil niet dat je zo hard fietst.'
'Sorry,' zegt Storm. 'Ik zal het nooit meer doen.' Hij stopt Chimpie in zijn rugzak. Chimpies kopje steekt er bovenuit, zodat hij alles goed kan zien. Het is een grappig gezicht en mama moet een beetje lachen.
'Nou vooruit dan maar,' zegt mama, 'omdat je jarig bent.'
En voor de tweede keer die morgen fietsen ze naar school.

In de klas moeten de kinderen eerst erg hard lachen als Storm met Chimpie binnenkomt.
'Heb je een aap voor je verjaardag gekregen?' roept Danny, de stoerste jongen van de klas.
'Een aap met een aap!' brult Sjoerd, die altijd flauwe grapjes maakt.
Maar de meisjes vinden Chimpie vet schattig.
Storm voelt zich wel een beetje ongelukkig, maar gelukkig helpt juf hem. Ze zegt dat ze het leuk vindt dat Storm zijn lievelingsknuffel heeft meegenomen. Ze vraagt naar de lievelingsknuffels van de andere kinderen. Iedereen blijkt er wel eentje te hebben. Juf zegt dat de kinderen die dan morgen maar mee naar school moeten nemen.
Storm kijkt snel even naar zijn knuffel. Ziet hij het goed? Verschijnt er een lachje op Chimpies snoet?

Storm heeft een fantastische dag. Alle kinderen zingen voor hem en voor Chimpie. En als hij de klassen rondgaat, mag het liefste meisje van de klas, Bloem, met hem mee. En Bloem pakt op het laatste moment Chimpie, zodat die ook meegaat de klassen rond. Uit school komt er een heleboel bezoek en eten ze taart. En voor het avondeten heeft papa patat gehaald.
Dan is het alweer tijd om te gaan slapen. Storm neemt Chimpie mee naar boven en zet hem op het voeteneinde van zijn bed. Papa leest nog een klein verhaaltje voor en stopt hem onder.
'Was het een fijne dag?' vraagt papa.
Storm knikt.
Papa geeft hem nog een laatste knuffel en gaat de kamer uit.
Storm komt overeind en kijkt naar Chimpie. 'Vond je het vandaag leuk?' vraagt hij.
Chimpie zegt niks.
'Morgen mag je weer mee naar school!' zegt Storm. 'Fijn hè?'
Chimpie zegt weer niks.
Een beetje teleurgesteld gaat Storm weer liggen. 'Flauw hoor!' mompelt hij. 'Echt flauw!'
Maar vlak voordat hij in slaap valt, voelt hij twee harige armpjes om zijn nek en een zacht snoetje tegen zijn wang. 'Jij bent de aller- allerliefste,' hoort hij fluisteren.
En dan valt hij in slaap.

Van Gonneke Huizing verscheen onder andere:

Slikken of stikken
4 Love
Babylove
Verboden te zoenen
Vakantievriendinnen
Citostress, turntoestellen en afscheidsfeest
Brugpiepers, turntoppers en beugelbekkies

zie ook: www.gonnekehuizing.nl

Theo Olthuis
Feest

Alweer een kadootje –
mijn vingers
kregen geen idee
en maakten gauw
het papiertje los.

Er schemerde iets
wat ik NIET wou hebben,
maar het wás al van mij...
En voor ik het wist,
riep ik dank-je-wel
en keek
heel moedig blij.

welkom in

☆ DE FEESTFABRIEK ☆

afdeling PIRATEN

Pas op, als je een half uurtje in de piratenzaal hebt rondgekeken bén je al bijna een piraat! Dan roep je heel stoer: HEI HO! FEESTEN DOE JE ZO!

☆

FLESSENPOST

Spaar lege limonadeflesjes. Leg blaadjes papier in de thee tot ze gelig zijn en droog ze op de verwarming. Nu is het net perkament.

Schrijf de uitnodiging erop. Bijvoorbeeld →

HEI HO, KOM JE OOK?
LUUK GEEFT EEN PIRATENFEEST
ZATERMIDDAG 3 UUR
ORANJESTRAAT 3

Rol de uitnodigingen op, doe er een touwtje om en stop ze in het flesje. Dop erop, KLAAR!

SMULPIRAAT

Per piraat:

- 1 grote eierkoek
- 1 dropmatje
- 1 dropveter
- smarties
- rumboon
- beetje gesmolten chocola voor de haren

De rumboon bepaalt of het een vrolijke piraat wordt of een hele kwaaie!

PIRATENPAP

Scheepsbeschuit bederft niet, daarom hebben piraten altijd een flinke voorraad aan boord. Ze maken er een soort pap van. KIJK, ZO: Leg voor elke piraat een beschuit in een diep bord. Strooi er flink wat suiker op. Nu langzaam warme melk op de beschuiten gieten. De beschuiten worden groter en groter. Wie wint? Daarna... smullen maar.

SLURPEN MAG!

PIRATENLIED

WE ZIJN PIRATEN VAN DE ZEE
WE HOEVEN NOOIT IN BAD
WE VAREN MET DE HAAIEN MEE
EN ZOEKEN NAAR DE SCHAT

HEILA HEILO
EN STAMPEN DOEN WE ZO
HEILA HEILEEN
AL MET ONS HOUTEN BEEN

WE ZIJN PIRATEN VAN DE ZEE
WE LEREN NOOIT EEN LES
WE ETEN KNOLLEN BIJ DE THEE
EN DRINKEN UIT DE FLES

HEILA HEILO
EN STAMPEN DOEN WE ZO
HEILA HEILEEN
AL MET ONS HOUTEN BEEN

WE ZIJN PIRATEN VAN DE ZEE
OOK MIDDEN IN DE NACHT
DAN DANSEN WE DE HORLEPEE
HET MAANTJE HOUDT DE WACHT

HEILA HEILOO
EN DANSEN DOEN WE ZO
HEILA HEILEEN
AL MET ONS HOUTEN BEEN

OP WEG

Bij een piratenfeest hoort een speurtocht over een onbewoond eiland. Het wordt een zware tocht, dus maak voor elke rover een knapzak. Zo:
Met een boerenzakdoek en een tak of stok.

En vul hem met lekkere dingetjes.

na de speurtocht heeft iedereen natuurlijk dorst. Zorg dat de rum (= appelsap; niet zeggen hoor) klaarstaat met pirarietjes. Je maakt ze van stukjes karton waar je een doodshoofd op tekent.

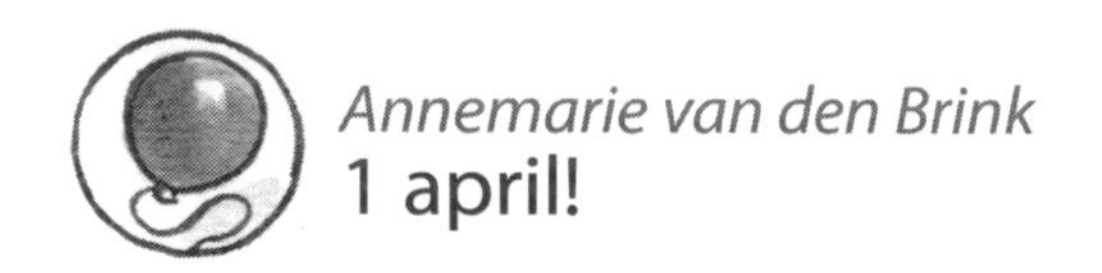

Annemarie van den Brink

1 april!

'Nog één nachtje, nog twee nachtjes, nog drie, nog vier, nog vijf...'
Hannes telde de lege vakjes op het grote papier boven zijn bed. In bijna alle vakjes stond al een rood kruis. Elke avond voor het slapen kruiste hij een hokje aan. De hokjes stonden in de vorm van een lange kronkelslang. Ze begonnen bij de staart. Het allerlaatste hokje was de tong van de slang.
'Nog vijf nachtjes. Dan is onze verjaardag gelukkig weer voorbij, Jaja,' zuchtte Hannes. Jaja was Hannes' teddybeer. Hij was net zo oud als Hannes. Hannes had hem gekregen op zijn geboortedag.
'We gaan een kruisje zetten, Jaja,' zei Hannes. 'En als we morgen wakker worden, is het nog maar vier nachtjes.' Hannes pakte het rode krijtje en klemde het in de pootjes van Jaja. Samen zetten ze een dik rood kruis. Daarna maakten ze als elke avond drie salto's op bed. 'Welterusten,' zei Hannes tevreden. Hij keek in de kraalogen van zijn beer. De oogjes van Jaja straalden.

Miljoenen kinderen stoppen met nachtjes tellen op de dag vóór hun verjaardag. Hannes dus niet. Hannes telde altijd nog één nachtje door, tot zijn verjaardag weer voorbij was. Want hij was jarig op 1 april. En dat is geen grap. Was het maar een grap, dacht hij.
Het begon al toen Hester, de moeder van Hannes, ontdekte dat ze een baby in haar buik had. Op een warme zomerdag zei ze tegen Jan, de vader van Hannes: 'We krijgen een kind. Het wordt geboren op 1 april.' Hester keek er heel vrolijk bij.
'Goeie grap, schatje!' riep Jan.
Hesters buik werd steeds dikker. Toen snapte Jan dat ze écht een kind zouden krijgen. Het werd vast in maart geboren. Of misschien 10 of 20 april. Het maakte Jan en Hester niet uit, als het

maar geen 1 april was. Want het is niet leuk als je een kind krijgt en niemand gelooft het.
Hannes groeide en groeide in Hesters buik. Hester kon het kind goed voelen. Toen al was Hannes dol op salto's maken.
Op de laatste dag van maart, om drie uur 's middags, zei Hester: 'Vandaag wordt ons kind geboren.'
'Yes!' riep Jan. Eindelijk kwam het kind en het zou jarig zijn op 31 maart.
Maar Hannes had geen haast. Hester pufte en kreunde de hele middag en avond door.
'Duurt het nog lang?' vroeg Jan voorzichtig. Zijn ogen schoten heen en weer van zijn kermende vrouw naar de wijzers van de klok. Het was al half elf.
Hester werd zo boos, dat Jan het uur daarna niks durfde te zeggen. Om half twaalf kwam de verloskundige. Zij ging Hannes op de wereld helpen. Om kwart voor twaalf riep Hester: 'De baby komt!'
De verloskundige en Jan moedigden Hester om de beurt aan.
'Goed zo!'
'Schiet op, schat!'
'Je kunt het meid!'
'We hebben nog maar vijf minuten!'
'Je bent een kanjer!'
'Kom op, nog één minuut!'
Om twee minuten over twaalf kregen Jan en Hester een kerngezonde zoon.
Jan en Hester kusten elkaar en keken apetrots naar Hannes.
'Hij heet Hannes en zijn tweede naam is Harrie,' zei Jan tegen de verloskundige. 'Hannes komt van Johannes, zo heet mijn vader. En Hesters vader heet Harrie.'
De verloskundige schreef een briefje.

Geboren:	*Hannes Harrie van Dijk*
Jongen of meisje:	*jongen*
Datum:	*1 april*
Tijd:	*00.02 (twee over twaalf)*

Bibberend las Jan het briefje. 'Kunt u er 31 maart van maken?'
'Geen sprake van,' zei de verloskundige streng.
In de ochtend ging Jan met het briefje naar een kantoor. Daar moesten ze Hannes' naam in de computer zetten.
'Zeg het maar,' zei de meneer achter de balie. Hij had glimmende, rode wangen.
'Ik heb een zoon gekregen,' zei Jan en hij liet het briefje zien.
De man bekeek het briefje uitvoerig en begon te schaterlachen.
'Een zoon op 1 april? En dat moet ik geloven!'
'Het is echt waar,' zei Jan. Zie je wel, daar begonnen de flauwe grappen al.
De man drukte zijn neus tegen het briefje. 'Leuke namen,' hikte hij. 'Hannes Harrie van Dijk. H. H. van Dijk. Ha-ha van Dijk!'
Nu bulderde hij. 'Haha! Zo'n goeie mop heb ik nog nooit meegemaakt!'

Ineens keek de man Jan heel serieus aan. 'Sorry, baby's die op 1 april zijn geboren kunnen we niet inschrijven.'
'Hoezo niet?' vroeg Jan kwaad.
'Geintje,' zei de balieman met een dikke grijns. '1 april! Haha!'
Snel liep Jan terug naar huis. Zijn voetstappen gingen op de maat: ha-ha, ha-ha, ha-ha. In de winkelstraat stopte hij voor de speelgoedwinkel. Een prachtige beer met kraaloogjes staarde hem aan. Jan kocht hem en legde hem even later in de wieg naast Hannes. Zodra Hannes kon praten noemde hij zijn beer Jaja. Want dat had Hannes al zo vaak gehoord. Was Hannes echt geboren op 1 april? 'Ja, ja,' zeiden de mensen dan.

Vanaf het moment dat Hannes naar school ging, kreeg hij een hekel aan zijn verjaardag. Jan en Hester bedachten elk jaar een leuk verjaardagspartijtje. Sommige kinderen kwamen niet. Of ze kwamen wel en namen een fopcadeau mee. Als traktatie maakte Hester een prachtige cake in de vorm van een trein. De kinderen aten er niks van. Ze verkruimelden de plakken cake, om te ontdekken of er stiekem geen zeep of lijm in zat. De juffen deden hun best op een vrolijke feestmuts. Maar de kinderen lachten om hem en klopten op zijn rug. 'Goeie grap, Hannes!'

Aan al die dingen moest Hannes denken, warm naast Jaja in bed. Er waren nog maar twee vakjes van de slang leeg. Morgen was hij echt jarig. En overmorgen kon hij eindelijk het kruisje in de tong van de slang zetten. Vanavond kon hij niet slapen. Hij dacht aan morgen. Als hij de klas in kwam, zou het beginnen.
'Nieuwe trui? Er zit een gat in!'
'Iedereen kan wel zeggen dat hij jarig is!'
Er zou vast iemand zout in zijn limonade doen. Op zijn feestje kreeg hij vast weer een stinkbom. Alsof hij er daar nog niet genoeg van had.
Hannes knipte zijn zaklamp aan en scheen ermee op Jaja.
Jaja keek diep in Hannes' ogen en drukte zijn snuit tegen Hannes'

oor. 'Ik snap het Jaja,' zei Hannes.
Met Jaja in zijn armen stapte Hannes zijn bed uit. Op zijn tenen liep hij naar de werkkamer van Jan en Hester. Vlug pakte hij de telefoon en hij sloop terug naar zijn slaapkamer.
Eerst belde hij met opa Johannes. Die kon hem altijd zo goed opvrolijken. Daarna belde hij met opa Harrie. Die had altijd zulke goede ideeën. Ha, dacht Hannes. Haha. Hij pakte het rode krijtje en zette een vet uitroepteken in het een-na-laatste vakje.

'Lang zullen ze leven.' Jan en Hester kwamen voorzichtig Hannes' slaapkamer binnen met een groot pak onder hun arm. Ze zongen zachtjes, alsof ze bang waren. Bang dat Hannes net als vorig jaar zou wegduiken onder zijn dekbed.
Maar Hannes en Jaja zaten rechtop in bed. Samen scheurden ze het papier van het cadeau.
'Een trampoline!' juichte Hannes. Hij en Jaja deden meteen een salto op de trampoline.
'Wat is ie vrolijk,' fluisterde Jan verbaasd.
'Als hij maar niet geplaagd wordt vandaag,' zuchtte Hester.
Na het ontbijt liep Hannes naar school. In zijn ene hand droeg hij Jaja, met zijn andere hand de tas met de trommel traktaties. En met zijn oude trui, maar dat wist niemand. Op school verstopte hij vlug zijn trommel achter een kast. In de wc deed hij zijn oude gatentrui aan.
Op het bord had juf Fien met zwierige letters Hannes' naam geschreven.
Jip kwam als eerste binnen. 'Je hebt een gat in je trui, Hannes!'
Hannes keek Jip recht aan. 'Dat weet ik ook wel,' zei hij.
Jip keek beteuterd naar het gat in Hannes' trui. Daar ging haar 1 april-grap.
'In de kring,' zei juf Fien toen alle kinderen binnen waren.
'Hannes is jarig. We gaan voor hem zingen.'
'Wie is er nou jarig op 1 april!' riep Mees.
'Leuke grap, hoor,' zei Bas.

'Ik trap er niet in,' zei Michiel.
'Doe niet zo flauw,' zei de juf. 'Hannes is echt jarig op 1 april.'
Hannes sprong op van zijn stoel. 'Ze hebben gelijk,' zei Hannes. 'Ik ben helemaal niet jarig. Het is een grap. Of eigenlijk, het is helemaal geen grap.'
Juf Fien keek hem verbaasd aan.
'Het was gisteren. Jullie zijn me vergeten.' Hannes keek zo zielig als hij kon.
'Waarom heb je niks gezegd?' vroeg ze geschrokken.
'Ik heb het geprobeerd, maar niemand luisterde,' zei Hannes. Het lukte hem zelfs om een traan uit zijn ooghoek te persen.

'En de traktaties dan?' vroeg Sofie.
'Op,' zei Hannes. 'Ik heb ze alle vijfentwintig opgegeten.'
'En je feestje?' vroeg Kim. Zij was een van de kinderen die was uitgenodigd.
'Alleen mijn opa's zijn gekomen,' zei Hannes. 'Niemand van mijn vriendjes.'
De kinderen keken Hannes met grote ogen aan.
'Toch was het een superfeest. Ik heb met Jaja, mijn vader en moeder en opa's alle patat opgegeten. De clowns waren geweldig en het springpaleis ook.' Hannes keek de kring rond. De kinderen keken heel bedroefd, vooral de kinderen die op zijn feestje zouden komen. Hij snifte en vroeg: 'Mag ik even naar de wc?'
'Toe maar jongen,' zei de juf met een heel rood hoofd.
Hannes deed vlug de gatentrui uit. Hij haalde de trommel tevoorschijn en stopte hem onder zijn nieuwe trui. Hard klopte hij op de deur van de klas.
'Binnen!' riep juf Fien.
Eén, twee, drie, zei Hannes in zijn hoofd en toen stapte hij de klas in.
Met een zwaai haalde hij de trommel onder zijn trui vandaan.
Hij nam een grote hap lucht. 'Haha, 1 APRIL!'

'Dit was onze allerbeste verjaardag, Jaja,' zei Hannes 's avonds in bed.
Jaja knikte heel hard ja.
Opa Johannes en opa Harrie hadden zich als clown verkleed en hun gekste trucs uitgehaald. Hannes en Jaja deden kunstjes op de trampoline en de kinderen deden hen na. En Hannes had maar één piepklein stinkbommetje gekregen.
'Jaja, we zijn wat vergeten!' Hannes duwde Jaja het krijtje in zijn pootjes. 'Het laatste kruisje!'
Maar Jaja deed niks.
'Toe dan, Jaja.'
Jaja's hoofd schudde nee.

'Je hebt gelijk,' zei Hannes. 'Vanaf nu stoppen we met aftellen als we jarig zijn.'
Hannes bekeek de lege slangentong nog eens goed. Eigenlijk leek hij wel heel erg op een vlag. Een vlag voor Hannes en Jaja.

Van Annemarie van den Brink verscheen ook:

Amigos!

zie ook: www.avdbrink.nl

Thea Dubelaar

Eerder jarig

'Kijk opa, over eenentwintig dagen zijn we jarig!' zegt Steef. Trots laat hij zijn aftelkalender zien, die hij vandaag van mama heeft gekregen. Een mooie poster met eenentwintig vakjes.
'Zo gauw al?' vraagt opa. 'Weet je dat zeker?'
Steef knikt. Opa en hij zijn op de dezelfde dag jarig. Over precies drie weken. Dat weet hij zeker, want hij heeft de vakjes wel zes keer geteld. Eenentwintig dagen, dat zijn drie weken.
'Wat gaat de tijd toch akelig vlug,' zegt opa. 'We zijn net jarig geweest en nu zijn we al bijna weer jarig.'
'De tijd gaat helemaal niet vlug,' zegt Steef. 'De tijd gaat juist langzaam! Drie weken, dat is nog lang hoor.'
'Voor jou wel,' antwoordt opa. 'Omdat je jong bent. Maar als je zo oud bent als ik dan vliegt de tijd voorbij. Voor mij zijn die drie weken zomaar om. Echt waar, voor oude mensen gaat de tijd veel sneller.'
'Hoe kan dat nou?' zegt Steef. 'Als jouw drie weken sneller voorbij gaan dan mijn drie weken, dan ben jij eerder jarig dan ik. Dat kan toch niet.'
Opa lacht. 'Op wat voor dag ben jij jarig?' vraagt hij.
Steef haalt zijn schouders op. Dat weet hij niet.
'Wacht even.' Opa staat op en haalt zijn eigen kalender van de muur. Het is een heel mooie met foto's van verre landen.
'We zijn nu hier. Op zondag 1 maart.' Opa's dikke vinger wijst de datum aan. Dan begint hij te tellen. Twee, drie, vier tot eenentwintig. Op die dag zijn opa en Steef jarig. 'Wat staat daar?' zegt opa en hij wijst op de dag.
'Zaterdag 21,' leest Steef. 'Dan zijn we jarig. Precies tegelijk.'
'We zullen zien,' zegt opa. 'Weet je wat? Ik zet elke dag een kruisje op mijn kalender. En jij zet elke avond voor je naar bed gaat een kruis op jouw kalender. Dan zien we vanzelf wie er sneller gaat.'

Steef denkt na. Stel je voor dat opa's tijd echt sneller gaat. Dan is hij eerder jarig. Dat zou heel vervelend zijn, want opa en Steef vieren hun verjaardag altijd samen. 's Morgens vroeg bij Steef thuis en 's avonds bij opa, tot het lekker laat is. Dat zijn ze zo gewend. En dat is altijd erg leuk. Hij wil helemaal niet dat opa eerder jarig is. En eigenlijk kan het ook niet. Dat weet hij bijna zeker.

Opa en Steef wonen naast elkaar. Dat is leuk. Steef kan net zo vaak naar opa toe gaan als hij wil. Hij hoeft het niet eens aan mama te vragen. Elke dag gaat hij minstens twee keer naar opa. Soms is hij er de hele dag. Als mama moet werken dan eet hij bij opa. Zo gauw hij uit school komt, zegt opa: 'Zet de pan maar op het fornuis.' En dan bakken ze samen 'twee eieren-met'. Met ham

of spek. Met tomaat. Met worstjes of met kaas. Of gewoon met niks. Alleen maar ei. Dat is ook lekker, vooral als de dooier heel blijft. Dat heet een spiegelei, maar opa noemt dat een koeienoog. Hij weet zelfs hoe dat in Indonesië heet. Mata sapie!
'Mata sapie, staart van een apie!' zegt Steef dan altijd. Volgens hem heeft opa dat mata sapie gewoon verzonnen.
Opa en Steef hebben samen heel veel lol. Steef hoopt dat opa altijd zal blijven leven. Eerst wist hij niet dat opa's dood konden gaan. Maar toen was er een meisje in de klas met een dode opa. Ze vertelde het in de kring. Dat haar opa zomaar opeens dood was gegaan. Hij zat in zijn stoel. Toen zakte hij opzij en toen was hij dood. Dat was vreselijk akelig. Steef dacht aan zijn eigen opa die ook vaak in zijn stoel zat. Stel je voor dat die ook zomaar opeens opzij zakte. Hij was meteen uit school naar opa gerend. Die stond te spitten in de tuin.
'Opa, je gaat toch niet dood, hè?' had hij gevraagd.
'Voorlopig nog niet,' zei opa. 'Maar waarom vraag je dat?' Toen had Steef verteld van het meisje haar opa.
Maar zijn opa antwoordde: 'Ik word minstens honderd en dan nog zak ik niet opzij. Ik sterf in het harnas.' Een harnas was het ijzeren pak van een ridder. Dat wist Steef wel. En hij wist ook dat opa geen harnas had en dat hij nog lang geen honderd was. Dus voorlopig kon er niks met hem gebeuren.

'Hoe oud word jij als je jarig bent?' vraagt Steef een paar dagen later. Hij weet het wel, maar hij wil graag dat opa het zegt.
'Zevenenzestig.'
'En ik word zeven,' zegt Steef. Ze knikken allebei.
'Wat vraag jij voor je verjaardag?' vraagt opa.
'Dat weet ik nog niet,' antwoordt Steef. 'En jij, wat vraag jij?'
'Mooi weer.'
'Dat is geen cadeau. Mooi weer kun je niet kopen.'
Opa lacht. 'Daarom is het juist zo'n mooi cadeau, omdat je het niet kunt kopen.'

Steef trekt een rimpel boven zijn neus. Hij probeert voor zichzelf een cadeau te verzinnen. Een cadeau dat je niet kunt kopen.
'Ik weet het!' roept hij. 'Ik vraag een broertje voor mijn verjaardag. Een babybroertje.'
Opa knikt. 'Dat is een goed idee. Mag het ook een zusje zijn?'
'Liever niet,' zegt Steef. 'Met een broertje kun je beter spelen.'
'Er is wel een probleem met een cadeau dat je niet kunt kopen,' zegt opa. 'Je weet nooit zeker of je het krijgt.'
Steef zucht. Opa heeft gelijk. Misschien regent het op hun verjaardag. En hij krijgt vast geen babybroertje. Zelfs geen babyzusje. Dat weet hij nu al.

Het is woensdagmiddag. Steef hoeft niet naar school. Hij kijkt op zijn aftelkalender. Er zijn nog drie vakjes zonder kruis. Over drie dagen is hij jarig. Misschien, heel misschien krijgt hij een broertje voor zijn verjaardag. Hij denkt van niet, maar je weet het nooit. En hij heeft niets anders gevraagd. Alleen een broertje. En opa, krijgt die mooi weer? Opeens denkt Steef aan de kalender van opa. Hij rent de deur uit. Hij holt over het paadje naar opa's keukendeur.
Opa zit in de kamer aan de hoge tafel. Hij eet een boterham met kaas.
'Hoi opa,' hijgt Steef. 'Hoeveel kruisjes moet jij nog?'
'Twee,' zegt opa.
'Twee? Dat kan niet, opa. Ik moet er nog drie.'
'Tja,' zegt opa. 'Het is jammer, maar dit jaar zijn we dus niet tegelijk jarig. Ik zei het toch al. Voor oude mensen gaat de tijd vlugger.'
Steef schudt zijn hoofd. Hij wil het niet geloven.
'Je hebt vast niet goed geteld,' zegt hij.
'Pak de kalender maar, dan kun je zelf tellen,' zegt opa. Voorzichtig haalt Steef de kalender van de muur. Hij telt. Een, twee, en dan is hij bij hun verjaardag: zaterdag 21 maart.
Hij snapt er niks van. Hij weet zeker dat hij elke avond een kruis

heeft gezet op zijn aftelkalender. Hij is het niet één keer vergeten. En toch heeft hij nog drie lege vakjes en opa heeft er maar twee. Zou het dan toch waar zijn? Gaat de tijd echt vlugger als je oud bent?

Opeens ziet hij dat opa zit te lachen.

'Opa! Dit is niet leuk!' roept Steef. Opa kijkt meteen heel ernstig.

'Heb jij vandaag al een kruis gezet op je kalender?' vraagt hij.

'Nee natuurlijk niet, dat doe ik toch altijd voor ik naar bed ga,' zegt Steef. En dan opeens snapt hij het. 'Wanneer zet jij je kruisjes, opa?'

''s Morgens bij de koffie.'

'Dus jij hebt vandaag al een kruisje gezet. En ik nog niet.'

'Precies,' zegt opa. 'Dus vanavond als je in bed ligt, zijn er op jouw kalender ook nog maar twee lege vakjes. Een voor donderdag en een voor vrijdag.'

‘En zaterdag zijn we jarig.’ Steef zucht tevreden. ‘Precies tegelijk. Denk je dat je mooi weer krijgt?’
‘Ik denk het niet,’ zegt opa. ‘De weerberichten voorspellen regen en wind. En denk jij dat je een broertje krijgt?’
‘Ik denk het niet,’ zegt Steef. ‘Mama heeft mijn cadeau in haar slaapkamer verstopt. Het ligt boven op de linnenkast. Het is een vierkante doos. En daar zit natuurlijk geen broertje in.’
‘Jammer,’ zegt opa.
Steef knikt en dan lacht hij. ‘Misschien krijg ik dat broertje later,’ roept hij vrolijk. ‘Een broertje kun je altijd nog krijgen. Daarvoor hoef je niet jarig te zijn.’

Van Thea Dubelaar verscheen onder andere:

Sander is stout/lief
De wonderbril

zie ook: www.theadubelaar.nl

Petra Cremers

Pelle, de schrik van de Zeven Zeeën

Sinds een tijdje weet Pelle héél zeker wat hij later graag wil worden: piraat natuurlijk. Hij heeft niet voor niks een echte piratennaam. Hij ziet de krantenkoppen al voor zich: *Pelle, de schrik van de zeven zeeën.* Dat een jochie van Kanaleneiland zó beroemd kan worden. Of nee, berucht, dat woord noemt papa steeds als hij over piraten vertelt. Beroemd, maar dan dat je er bang voor bent. Zelfs stoere zeelui doen het in hun broek als er een piratenschip nadert. Alleen die vlag al, met die doodskop en die doodenge kromzwaarden.

Als Pelle vanaf de galerij van zijn flat de wijk in kijkt, verbeeldt hij zich altijd dat hij op de voorsteven van een schip staat. *Pelle, de piratenkapitein met zijn arendsogen. Aan een stipje aan de horizon kan hij al zien, dat het een schip is met een rijke buit. En als het stipje flink is gegroeid kan de piratenvlag worden gehesen. Klaar voor de aanval? Aye aye, kapitein Pelle.*

Over mama's vraag wat hij dit jaar voor zijn verjaardag wilde doen hoefde hij dan ook geen seconde na te denken. Het moest natuurlijk een piratenfeestje worden! Vandaag is de grote dag. Gelukkig arriveren de gasten allemaal op tijd. Zijn vrienden uit groep vier: Luuk en Finn, die hun piratenkleren al hebben aangetrokken, Jasmijn en Mo. De tweelingbroertjes Storm en Spijker die sinds kort in de flat wonen en natuurlijk zijn buurmeisje Inge.

'Het wordt bloedvergieten vanmiddag,' belooft Pelle als alle gasten eindelijk een stukje taart hebben gekregen. Finn en Mo worden een beetje wit om hun neus, Jasmijn verslikt zich in een te grote hap, maar Inge schatert het uit. 'Met ketchup spuiten zeker,' roept ze door de keuken. 'Dat wordt lachen.'

'Volgens mij horen meisjes niet op een piratenschip,' moppert Finn, maar daar is Pelle het niet mee eens. Er zijn twee dingen die hij later graag wil: piratenkapitein worden en trouwen met Inge.

Het lijkt hem erg leuk om samen met haar op een piratenschip te wonen.

'Ik hijs de vlag,' roept de piratenkapitein als ze eindelijk van wal zijn gegaan en hij steekt de stok met de zwart-witte vlag in de lucht. Er is vandaag geen zuchtje wind en dan kun je weinig met een piratenschip. Daarom heeft hij met zijn bemanning plaatsgenomen in een sloep. Aan de overkant van de Zeven Zeeën ligt een schat begraven. Pelle kijkt trots naar zijn bemanning. Storm en Spijker zwaaien zo gevaarlijk met hun zwaard dat papa steeds harder begint te roeien. Het zweet staat op zijn voorhoofd en hij weet nog niet eens wat hem te wachten staat als ze eenmaal op het Verre Eiland zijn. Inge, het vierde bemanningslid, houdt de omgeving in de gaten. Er is een andere boot op weg naar het eiland. Vier woest kijkende piraten die gelukkig maar langzaam vooruitkomen. Pelle steekt stiekem zijn tong uit naar Jasmijn, Finn, Mo en Luuk. Net goed dat ze mama mee hebben gekregen. Zo gaan ze zeker verliezen.
Net voor ze de wal bereiken, ramt papa bijna een waterfiets met twee bejaarde dames. Ze dragen dure sieraden. Het is natuurlijk erg aanlokkelijk om ze even aan het zwaard te rijgen. Een echte piraat heeft altijd honger naar buit, ook als hij net een groot stuk taart heeft verorberd. Maar op het eiland wacht de schat en de voorsprong mag niet verloren gaan.
'Zien jullie die piratenvlaggetjes daar?' vraagt een hijgende papa als hij eenmaal op het Verre Eiland staat. 'Die horen bij de speurtocht die ik heb uitgezet. Zal ik dan maar voorop lopen?'
Pelle hoeft niet eens een bevel te geven. Storm en Spijker springen al op papa's rug. Pelle schiet hen te hulp en samen werken ze hem tegen de grond.
'Is dat nou nodig?' vraagt hij als Inge een rol touw tevoorschijn haalt. 'Ik vond je altijd zo'n aardig meisje.'
Inge doet net alsof ze het niet hoort. Haar

blonde haar heeft ze verstopt onder haar piratenmuts en ze kijkt al net zo woest als Storm en Spijker. 'Zo strak mogelijk vastbinden zeker, kapitein?'
Pelle knikt bevestigend.
'Maar zo vinden jullie die schat nooit,' jammert papa. Jullie hebben mij nodig. Heus. En de schatkaart...'
'Komen we onderweg wel tegen,' zegt piratenkapitein Pelle. 'Gewoon de vlaggetjes volgen, toch? We zullen heus niet verdwalen.'

Een paar honderd meter verderop komen ze de vroegere buurvrouw van Pelle tegen. Ze woonde altijd op dezelfde galerij, in de woning die nu van Storm en Spijker is. Sinds kort is ze verhuisd naar een bejaardenhuis, maar Pelle noemt haar nog altijd buurvrouw Snoepje.
'Uw geld of uw leven,' roepen Storm en Spijker allebei tegelijk en ze steken hun kromzwaard al in de lucht.

Even wil Pelle protesteren. Buurvrouw Snoepje is altijd zo lief en aardig.
'Als dat Pelle de piraat niet is,' zegt ze vriendelijk. 'Wat leuk dat jullie de omgeving onveilig komen maken. Alleen neem ik nooit m'n portemonnee mee als ik een wandelingetje ga maken in het park. Is een rolletje snoep ook goed? Dubbelzout, de smaak van de zee?'
'Natuurlijk,' zegt Pelle, 'heel hartelijk bedankt,' en dan zet hij het op een rennen. De zwart-witte vlaggetjes wijzen de weg naar de speeltuin. Zelfs boven in de klimtoren wapperen doodskopjes met kromzwaarden eronder.
'Op naar het piratennest,' commandeert de kapitein. Hij brult zijn favoriete piratenlied terwijl hij langs de touwladders naar boven klimt: 'Wij zijn zeerovers en de schrik van de zee, schepen vol goud en juwelen voeren wij mee.'
Boven staat Storm hem al op te wachten met een envelopje in de hand. 'Is dit een opdracht voor ons?' vraagt Pelle.
'Aye, kapitein, er staat "team 1" op.'
Pelle scheurt de envelop gauw open en begint hardop te lezen. 'Ga twee zeemijlen naar het noorden en verzamel onderweg zoveel mogelijk proviand. Bij een oude, dikke boom vinden jullie de volgende aanwijzing.'
'We moeten wel opschieten,' waarschuwt Spijker, 'de vijand nadert.'
Ineens krijgen ze haast. Pelle is al op weg naar beneden als hij ziet dat Storm een envelop in de achterzak van zijn piratenbroek stopt. De opdracht voor team twee. Hadden ze maar niet zo moeten treuzelen.

Pelle wil net bij de dikke boom op zoek gaan naar een nieuwe aanwijzing als hij een ijselijke kreet achter zich hoort. Hij kijkt geschrokken achterom.
'Die sukkels hebben vast ontdekt dat wij hun proviand gestolen hebben,' gniffelt Storm en hij steekt de zakjes met "team 2" erop

nog eens triomfantelijk in de lucht. 'Lekkere krentenbollen, ik lust er wel honderd. Iemand misschien een pakje drinken?'
Geen tijd, we moeten eerst de schat vinden, wil Pelle zeggen, maar opnieuw wordt er geschreeuwd.
'Laat los, stom mens.'
'Help, help, dit is een overval.'
Even staat hij als aan de grond genageld. Dit klinkt als bloedvergieten maar dat zouden zij toch doen? 'Volg mij,' roept hij dan en hij rent voor de andere piraten uit in de richting van het lawaai. Het eerste wat hij ziet zijn twee blote vrouwenbenen die plat op de grond liggen en vervolgens een gezicht vol bloed. Het is een mevrouw die zacht ligt te kreunen alsof ze zwaar gewond is. Van schrik laat hij zijn kromzwaard op de grond vallen. Naast hem duiken de andere drie piraten op.
'Ze leeft toch nog wel?' Het is een vraag van Storm of Spijker. Hun stemmen lijken heel erg op elkaar ook als ze bibberig klinken zoals nu, natuurlijk vanwege de schrik.
Inge zit al op de grond. 'Mevrouw, mevrouw, hoort u mij?' Gelukkig reageert de mevrouw meteen. Ze doet haar ogen een beetje open en begint opnieuw te kreunen. 'Zo'n pijn. En m'n tas is gestolen. Wat een ellendige rotzak.'
Inge heeft haar piratenmuts van haar hoofd getrokken en haar blonde haar hangt weer gewoon op haar rug. 'Rustig maar, we bellen een ambulance.'
'Dat is een goed idee,' zegt Pelle. 'Ik ga naar mijn vader.'
'En wij gaan die boef vangen,' zegt Spijker.
'We krijgen hem wel,' beweert Storm.
Alle drie rennen ze een andere kant uit. Gelukkig is het niet ver naar de plek waar Pelle's vader vastgebonden is. Zijn moeder is er ook. Ze is druk bezig hem los te maken.
'En Pelle, heb je de schat gevonden?' vraagt ze als ze haar zoon in de gaten krijgt.
'Geen tijd,' zegt Pelle. 'Mag ik je mobiel even lenen, pap?'
Verbaasd kijkt zijn vader hem aan, maar Pelle heeft geen tijd om

vragen te beantwoorden. Hij heeft het mobieltje al uit de broekzak van zijn vader gepakt.
'Nou, piratenkapitein, dat is wel erg brutaal.'
'112, dat is toch het alarmnummer? We hebben een ambulance nodig.'
Mama's gezicht wordt lijkbleek. 'Zie je wel dat je de kinderen niet alleen kunt laten,' zegt ze tegen haar man. En dan keert ze zich naar Pelle. 'Wat is er in vredesnaam aan de hand?'
'Er is een overval gepleegd en nu moet er een ambulance komen.'
'Geen leuk grapje,' zegt mama.
'Nee,' zegt Pelle, 'dat vind ik ook. Eigenlijk heb ik een grote hekel aan bloedvergieten.'

Gelukkig komt de ambulance razendsnel. Terwijl er steeds meer mensen op een afstandje staan toe te kijken, ook papa en mama en de andere piraten, mogen Inge en Pelle naast de brancard met de gewonde mevrouw staan. Ze lachen steeds naar haar, misschien dat ze zich dan wat beter gaat voelen.
'Helden zijn het, deze kinderen,' zegt de ambulancebroeder steeds terwijl zijn handen hun werk doen. De mevrouw krijgt een slangetje in haar neus voor wat extra zuurstof en hij maakt haar gezicht een beetje schoon.
'Het komt helemaal goed, wij zijn er nu om u te helpen,' zegt hij als ze opnieuw begint te jammeren. Samen met de chauffeur tilt hij de brancard voorzichtig in de ambulance.
Het liefst was Pelle meegereden. Het lijkt hem machtig mooi als je mensen zo kunt helpen. Waarom zou hij dan nog piraat worden? Ineens heeft hij heel andere toekomstplannen. Ambulancebroeder, dat is pas een mooi beroep. Mensen redden. Hij trekt zijn piratenmuts van zijn hoofd. En als hij Inge in de ogen kijkt, ziet hij dat zij precies hetzelfde denkt. Misschien kunnen ze later samen op een ambulance rijden! Het mooiste beroep van de hele wereld.

Van Petra Cremers verscheen onder andere:

Mickey Magnus
Enkeltje Afrika
Razende reporters
Oranje boven
Detectiveburo K&K
Leyla en de bodyguards
Back to Amsterdam
De wondere wereld van Charlie Haddon
Superinspecteurs Green & Moretti

zie ook: www.petracremers.nl

Thijs Goverde

De verjaardag van de Giraffe

Dit is een verhaal uit de Lang-geleden Tijd, toen alles nog maar net bestond en de grote Manganga – van wie sommigen zeggen dat hij de hele wereld gemaakt heeft, terwijl anderen beweren dat hij de wereld alleen maar heeft gestolen en er sindsdien rondwandelt met een arrogante kop van kijk-mij-eens, kijk-mij-eens, ik heb dit hele zaakje in mekaar geknutseld – toen de grote Manganga, zeg ik, rondging over de aarde om te kijken of alles goed was. Van elk beest en elke plant was er nog niet meer dan één stuks in die dagen. Daarom had alles wat er gebeurde enorme gevolgen. Toen de Onderzeekip door de Haai werd opgegeten waren de Onderzeekippen in één klap uitgestorven. Of liever gezegd: in één *hap*, want de bek van de Haai was allemachtig reusachtig groot dus kauwen was er niet bij. De Haai had makkelijk twintig onderzeekippen in één keer naar binnen kunnen schrokken, dat wil zeggen: als er twintig waren geweest. Maar dat was niet het geval want op de hele wijde aarde was er eerst maar een en daarna nul.

Alles wat er in die tijd gebeurde was dus Buitengewoon Belangrijk en een kwestie van Leven of Dood.

Nu had de grote Manganga (of wie het ook was) een klein foutje gemaakt: de zebra was dubbel. Gezellig, zou je denken, maar de zebra's waren knorrige zeurbeesten voor wie niks goed genoeg was.

'Nou jaaa!' riepen ze in koor. 'Nou jaaa! Moet je nou kijken! We zijn helemaal hetzelfde, streepje voor streepje! Was het soms teveel moeite om iets nieuws te bedenken? Zijn wij niet belangrijk genoeg? We pikken het niet,' zeiden ze tegen elkaar. 'We gaan een klacht indienen.'

En daar gingen ze, driftig dravend over de droge vlakten van Afrika. Drie keer draafden ze de vlakten rond, in een grote stof-

wolk die steeds dikker werd zodat ze op het laatst geen poot voor ogen meer zagen, en jawel: Boing! Met hun koppen tegen de apenbroodboom. Helemaal versuft waren ze, ze stonden te tollen op hun benen. Het duurde een hele poos voor ze weer wisten wie en wat en waar ze waren. In die tijd zakte langzaam het stof naar de grond. En wie zat daar met zijn rug tegen de apenbroodboom kalmpjes het stof uit zijn baard te kloppen? Niemand anders dan de grote Manganga, die toevallig precies daar zijn middagslaapje had liggen doen.
'Zo zo, zebra's,' zei hij. 'Wat een haast, wat een haast. Waar waren jullie naar op weg, als ik vragen mag?'
'Naar jou,' zeiden de zebra's.
'Zeg maar U,' zei de grote Manganga.
'U,' zeiden de zebra's.
'Heel goed,' knorde Manganga tevreden. 'Wat kan ik voor jullie doen?'
'Wij komen een klacht indienen,' zeiden de zebra's.
'Waarover?'
'Alle dieren zijn verschillend,' zeiden de zebra's. 'Alleen wij niet. Wij zijn dubbel. En dat is *jouw* fout, dus *jij* moet het oplossen.'
'Jullie moeten U zeggen,' bromde Manganga.
'Hebben we al gezegd,' zeiden de zebra's.
'Dat was maar een keertje. Jullie moeten de hele tijd U zeggen.'
De zebra's zeiden : 'U U U U U...'
'Ja, schei maar weer uit.'
'Zoals je wilt,' zeiden de zebra's, en ze haalden hun streepjes op.
De grote Manganga was door dit alles – het stof in zijn baard, zijn verstoorde middagslaapje en de brutaliteit van de zebrabeesten – behoorlijk uit zijn humeur geraakt. 'Ik mag hangen,' zei hij tegen zichzelf, 'als ik ook maar een vinger uitsteek voor die twee wandelende pyjama's.'
Daarna zette hij zijn zoetste glimlach op en zei tegen de zebra's: 'Ik zal dat varkentje meteen eens even wassen. Voortaan ben *jij* (hij keek naar de linker zebra) de Zebra en *jij* (hij keek naar de rechter) de Giraffe.'

Dolblij keken de Zebra en de Giraffe elkaar aan. Ze zagen er nog steeds hetzelfde uit, maar nu waren ze verschillende beesten en dus niet meer dubbel.
'Dankjewel Manganga,' riepen ze vrolijk, en ze hupsten de grote droge vlakte van Afrika op. De Zebra hupste naar het Oosten, dit verhaal uit, en hem zullen we verder met rust laten.
De Giraffe hupste naar het westen. Al snel kwam hij de Neushoorn tegen, die met de Olifant en het Nijlpaard stond te kletsen over de dingen die dikhuiden betreffen.
'Hallo jongens,' riep de Giraffe.
'Hallo Zebra,' zeiden ze.
'Ik ben de Zebra niet. Ik ben de Giraffe.'
'Klets niet,' snoof de Neushoorn. 'Je ziet eruit als de Zebra.'
'Ja maar...'
'Je hupst ook als de Zebra,' vulde de Olifant aan.

'Maar ik ben de Gi-raf-fe!'
'Je zanikt ook als de Zebra,' merkte het Nijlpaard droogjes op. 'Ga iemand anders z'n zaterdag verzieken, zeurpiet.' (Het was namelijk zaterdag.)

De Giraffe vertrok. Hij liep de hele grote, droge vlakte van Afrika over, en het hele woest-groene oerwoud door, en hij zwom in de grijze glibberige Limpopo Rivier, en doorkruiste de Verschikkelijke Dorst-woestijn. En alle dieren die hij tegenkwam, zeiden: 'Hallo Zebra!'
Oh, wat werd hij daar chagrijnig van!
'Een nieuwe naam,' zei hij tegen zichzelf, 'is duidelijk Onvoldoende Maatregelen. Ik zal een Sluw Plan moeten verzinnen.' Hij ging zitten aan de oever van de grijze glibberige Limpopo Rivier en dacht diep na.
Nu zijn Dravers geen Denkers, en het verzinnen viel de Giraffe dan ook zwaar. Maandenlang peinsde en piekerde hij, maar er kwam niks. Totdat hij in het water van de rivier keek, en zag dat hij een jaar ouder geworden was.
Nee maar, dacht hij, vandaag is het precies een jaar geleden dat de Grote Manganga alles gemaakt heeft. Alles, dus mij ook. Dus...
'Het is mijn verjaardag vandaag!' zei de Giraffe.
'Wat is een verjaardag?' vroeg het Hert, dat toevallig daar langskwam om uit de rivier te drinken.
'Een verjaardag is als je precies een jaar bestaat,' legde de Giraffe uit. 'En wie jarig is hoort cadeautjes te krijgen, wist je dat niet?'
'Oei, nee!' schrok het Hert. 'Zeg maar snel wat je hebben wilt.'
'Je gewei,' zei de Giraffe. Het Hert nam zijn gewei af en gaf het aan de Giraffe. Sindsdien verliezen de herten ieder jaar hun gewei; als beloning voor hun gulheid groeit er meteen een groter exemplaar voor in de plaats.
Dat allereerste geweitje, dat de Giraffe cadeau kreeg, stelde nog niet veel voor. Het waren twee kleine, stompe hoorntjes, meer een soort bultjes eigenlijk, zodat de Leeuw riep: 'Hé Zebra, heb je je hoofd gestoten?'

'Ik ben de Zebra niet,' gromde de Giraffe, 'en ik heb mijn hoofd niet gestoten. Dat is het gewei dat ik cadeau heb gehad. Wie jarig is hoort cadeautjes te krijgen, wist je dat niet?'
'Oei, nee!' schrok de Leeuw. 'Wat wil je hebben?'
'Geef mij maar wat van je mooie gele kleur,' zei de Giraffe. De Leeuw, die in die dagen nog schitterend citroenengeel was, gaf wat geel aan de Giraffe. Maar hij hield ook wat voor zichzelf, zodat sindsdien de leeuwen en de giraffes allemaal bleekgeel zijn. Vandaar dat de Luipaard riep: 'Hé Zebra, je ziet een beetje gelig! Heb je iets verkeerds gegeten?'
'Ik ben de Zebra niet,' knarste de Giraffe, 'en ik heb niets verkeerds gegeten. Dat is het geel dat ik cadeau heb gehad. Wie jarig is hoort cadeautjes te krijgen, wist je dat niet?'
'Oei, nee!' schrok de Luipaard. 'Wat zal ik je geven?'
'Geef me je stippen maar.' Dat wilde de Luipaard wel doen, maar het ging niet want de zebrastrepen zaten in de weg. Alleen op de buik van de Giraffe was nog plek; daar deed de Luipaard zijn eigen buikstippen op en sindsdien hebben de luipaarden witte buiken.
Ten slotte kwam de Giraffe de Tijger tegen. 'Hé Zebra,' riep de Tijger, 'je hebt allemaal vlekken op je buik. Zijn dat mazelen? Of waterpokken?'
'Ik ben de Zebra niet,' gilde de Giraffe, 'en het zijn geen mazelen. Dat zijn de stippen die ik cadeau heb gehad. Wie jarig is hoort cadeautjes te krijgen, wist je dat niet?'
'Jazeker wist ik dat wel,' antwoordde de Tijger. Hij was een neef van de Leeuw en de Luipaard, en die twee hadden hem gewaarschuwd voor de verjaardagsfratsen van de Giraffe. En omdat niet alleen de Giraffe, maar de Hele Wereld precies een jaar bestond, zei de Tijger: 'Ik ben net zo jarig als jij. Wat ga je me geven?'
De Giraffe was helemaal niet van plan iets te geven, maar de Tijger grijnsde zijn vlijmscherpe witte tanden bloot en de Giraffe werd helemaal bibberig en riep snel: 'Wil je mijn strepen hebben?'

'Goed,' zei de Tijger, en zo kreeg de Tijger zijn strepen. Maar veel plezier had hij er niet van, want sindsdien zeiden alle dieren 'Dag Zebra' als ze de Tijger zagen. De arme Tijger moest verhuizen naar een ver land, waar niemand wist wat een Zebra was, en sindsdien zijn er geen tijgers meer in Afrika.
Nu was de Giraffe werkelijk heel anders geworden dan de Zebra, en niemand haalde ze meer door elkaar. Hij had tevreden moeten zijn. Maar omdat hij een Hebberig Soort van Beest was, ging hij het woest-groene oerwoud in, om te kijken wat hij nog meer kon krijgen. De eerste die hij zag was de Aap.
'Dag Aap! Ik ben jarig vandaag. Wat krijg ik van je?'
De Aap, die een Kattekwaaierig Soort van Beest was, kreeg een vervaarlijke schittering in zijn ogen. 'Zal ik eens een heel bijzonder beest van je maken?' stelde hij voor. 'Zodat iedereen van vijf mijl ver kan zien: dat is de Giraffe?'
'Graag,' zei de Giraffe.
Toen greep de Aap met zijn grote sterke grijphanden de hoorntjes van de Giraffe vast, en met zijn grote sterke grijpvoeten klom hij een boom in, en daarna rende hij ondersteboven door de boomtoppen van het hele woest-groene oerwoud.
De arme Giraffe bungelde en bengelde mee, hangend aan de hoorntjes op zijn hoofd.
'Oei!' riep hij, en 'Auw!' en 'Oh, mijn arme nek!'
Want zijn nek die

rekte

en

rekte

en

rekte

net zo lang uit tot zijn poten de grond raakten.
Zelfs de luipaardstippen op zijn buik rekten uit tot grote bruine vlekken op zijn hele lijf.
Toen zijn nek zover was uitgerekt dat de Giraffe mee kon hollen met de Aap, en het bungelen geen pijn meer deed, was voor de

Aap de lol eraf. Hij liet de hoorntjes los en zei: 'Nu zal iedereen je van vijf mijl ver herkennen. Ben je nu tevreden?'
'Ja Aap,' mompelde de Giraffe, en hij nam zich voor om *nooit, nooit, nooit* meer hebberig te zijn op zijn verjaardag.
En dat zou jij ook niet moeten zijn!

Van Thijs Goverde verscheen ook:

De purperen koningsmantel
De zwijnenkoning
Het teken van de heksenjagers
De ongelofelijke Leonardo
Het witte eiland
Het bloed van de verraders
De wraak van de meesterdief
De jacht op de meesterdief
De hand van de meesterdief
Donderkat

zie ook:
www.thijsgoverde.nl

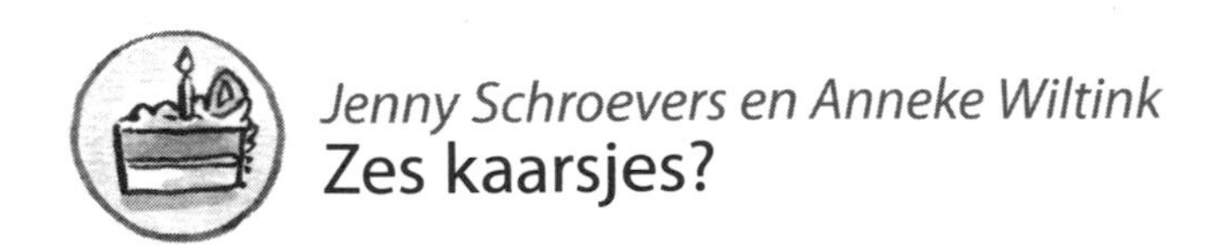

Jenny Schroevers en Anneke Wiltink

Zes kaarsjes?

'Juf, mag ik morgen trakteren?' vraagt Moya. Ze strijkt haar korte rode haar achter haar oren.
'Maar Moya, dat heb je toch een maand geleden al gedaan, toen je acht werd?' vraagt juf verbaasd.
'Eh, nou... ik wil het gewoon,' zegt Moya.
Juf kijkt haar nieuwsgierig aan. Niet rood worden, denkt Moya. En meteen begint ze te gloeien.
'Oké, het kan hoor.'
Met een zucht gaat Moya weer zitten. Ze gluurt om zich heen. Gelukkig, niemand let op haar. Ineens wilde ze dat ze niks gevraagd had. Nog niemand in deze klas weet van haar adoptie. Dat haar ouders niet haar echte papa en mama zijn. En dat ze in een ander land is geboren. Is het dan wel zo'n goed idee om te trakteren?

In de pauze staat Moya tegen de schutting aan, helemaal alleen. Ze heeft er geen zin meer in. Waren ze maar nooit hierheen verhuisd. Ze weet gewoon niet hoe ze hier vrienden moet maken. Mama denkt dat ze allang van haar adoptie verteld heeft, maar... Moya is zo in gedachten dat ze Els en Lotte niet ziet aankomen.
'Hé, Moya,' zegt Els en ze geeft Moya een duw.
Verschrikt kijkt Moya op.
'Wat heb je een leuke jas. Mag ik hem even aan?'
'Ja, hoor,' zegt Moya verrast. 'Hij is nieuw.' Ze glijdt uit haar mouw en wil zich omdraaien.
Krrrak.
'Oh, nee,' kreunt ze. De punt is achter een roestige spijker blijven hangen.
'Ach wat jammer nou. Moet je eens zien. Helemaal kapot,' zegt Els.
'Ja,' giechelt Lotte.

'Nou ja, hij was toch niet zo heel mooi,' zegt Els en samen met Lotte loopt ze lachend weg.
Moya kijkt ongelovig naar de mouw. Waarom zei Els dat nou?

Als Moya thuiskomt, is haar moeder in de tuin aan het werk.
'Hoi mam,' zegt Moya. Ze verbergt de scheur in haar jas.
'Hé Moya, hoe was het? Ze vinden het zeker wel leuk dat je trakteert, hé?'
'Eh... jawel.'
Samen gaan ze het huis in.
'Had je het leuk met je vriendinnen?' vraagt mama. Voordat Moya iets kan zeggen, praat ze alweer verder. 'Ik heb een superidee! We gaan een adoptiefeest geven. Ik vond het al zo rot dat je verjaardag in het water viel door de verhuizing. Maar zo maken we het helemaal goed. Je hele klas mag komen. Nodig iedereen morgen maar uit, dan is je feest overmorgen. Leuk, hè! We maken

een grote taart met heel veel slagroom!' ratelt haar moeder door. 'En...'
Moya luistert niet meer. Oh, help. Hoe krijgt ze dat nou weer voor elkaar? Ze wil haar hele klas helemaal niet uitnodigen. En al helemaal niet voor een adoptiefeest.
'...leuk?' vraagt haar moeder.
'Wat?' vraagt Moya. Niet rood worden, denkt ze.
'De juf,' zegt haar moeder. 'Ze vond het zeker wel bijzonder dat je morgen zes jaar in Nederland bent?'
'Ja, hoor,' zegt Moya snel. 'Heel leuk.'
'Mooi zo. Haal jij je stiften?' vraagt mama. 'Dan begin ik met de cakejes.'

Snel loopt Moya naar haar kamer. Daar gooit ze haar jas op de grond en ploft op haar bed. Zal ze het tegen haar moeder zeggen? Maar dan is ze zo teleurgesteld. En ze begrijpt het natuurlijk niet. Haar moeder weet niet dat Moya met niemand speelt op haar nieuwe school en dat ze ineens geen zin meer heeft om over haar adoptie te praten. Ze pulkt aan haar teennagel. Was ze maar zoals iedereen. Els en Lotte zijn vast niet geadopteerd. En die hebben wel vriendinnen.
'Kom je, Moya?' klinkt het van beneden.
Langzaam staat Moya op. Eerst maar uitnodigingen maken en muffins bakken, dan ziet ze wel weer verder.
In de keuken is haar moeder met het meel en de eieren in de weer. Ze wijst naar een stapel papier op tafel.
'Vraag iedereen maar meteen na school. En wat dacht je van een film na de taart?'
'Ja, leuk mam,' zegt Moya. Ze pakt een zwarte stift en begint.
Els, wil je op mijn feestje komen? Het is op 20 november en het begint om 3 uur tot 5 uur. Moya.
'Els' heeft ze zo lelijk mogelijk geschreven. Net goed, denkt ze.

De volgende dag lijkt haar tas wel loodzwaar als ze het school-

plein opstapt. Net voor de pauze is het zover.
'Trakteer mij maar eerst,' zegt juf. Ze wrijft in haar handen.
'Hé, lekker!' zegt Derrik, als Moya met de trommel langs zijn tafeltje komt. Hij schudt zijn blonde krullen en pakt een muffin. Achter hem zitten Els en Lotte te giechelen. Rotmeiden, denkt Moya.
'Ben je weer jarig?' vraagt Els.
'Ja, alwéér?' echoot Lotte.
'Nee,' zegt Moya.
Ze merkt wel dat een paar kinderen haar nieuwsgierig aankijken, maar gelukkig vraagt niemand iets.
Snel deelt ze de laatste muffins uit en gaat weer zitten. Daar is ze goed vanaf gekomen. Ze duwt de uitnodigingen wat dieper in haar tas. Die gaat ze niet geven. Mooi niet.
'Neem jij er zelf geeneen?' vraagt juf met een volle mond.
'Wat?' schrikt Moya op.
Juf lacht. 'Een muffin natuurlijk.'
'O ja,' zegt Moya snel.
'Die nieuwe is echt een rare!' hoort ze Jan naast zich fluisteren.
Moya duikt over haar trommel als Derrik zich naar Jan omdraait en zegt: 'Wat nou, net alsof jij zo normaal bent.'
Nu weet Moya al helemaal niet meer waar ze moet kijken. Niet rood worden, denkt ze.

In de pauze staat ze weer alleen tegen de schutting.
'Hé Moya!' Derrik is bij haar komen staan. 'Waarom heb je eigenlijk getrakteerd?'
'Oh, zomaar.'
'Vet. Geef je ook een zomaar-feest?'
'Nee, de...' Ze pulkt aan een stukje hout achter haar rug. 'Ja,' gooit ze eruit.
'Yes,' zegt Derrik. Hij grijnst vrolijk. 'Mag ik komen?'
Moya haalt haar schouders op. 'Als je wilt.'

Onder het rekenen gluurt ze naar Derrik. Zou hij echt willen komen? Ze vergeet helemaal om haar sommen te maken en voelt aan de uitnodigingen in haar tas.
'Klaar?' vraagt juf.
Moya schrikt op. Haar gezicht voelt ineens aan als een knalrode feestballon.
'Wat heb je daar?' vraagt juf.
Derrik draait zich om. 'De uitnodigingen natuurlijk!'
'Uitnodigingen?' vraagt juf.
'Voor haar verjaardagsfeest. Toch, Moya?'
Moya knikt. Ze probeert niet naar al die gezichten te kijken die haar ineens aanstaren.
'Voor haar verjaardag, alwéér,' fluistert Els. Ze rolt met haar ogen.
'Ja, alweer,' echoot Lotte.
'Wat zei je daar?' vraagt juf.
'Niks,' mompelt Els.
'Dat dacht ik ook,' knikt juf. Ze kijkt Moya vriendelijk aan. 'Weet je wat? Deel je uitnodigingen straks maar uit.'
Zodra de bel gaat springt Derrik op. 'Ik help wel.'
Moya bladert de stapel door. *Derrik.* En *Jan.*
Bij *Els* en *Lotte* aarzelt ze.
'Doe die maar niet,' fluistert Derrik.
Voordat Moya kan antwoorden, loopt hij naar juf.
'Komt u ook? Het begint om...' Hij spiekt even. 'Het is van drie tot vijf.'
Juf glimlacht. 'Zou Moya dat niet moeten vragen?'
'Volgens mij wilde ze dat net doen,' zegt Derrik.
Juf kijkt naar Moya.
'Uhmm, ja,' zegt ze snel. Ze bijt op haar lip.
'Oké,' knikt juf. 'Ik wilde toch al op huisbezoek komen.'
'Yes,' fluistert Moya als ze de klas uitloopt. De uitnodigingen van Lotte en Els mikt ze in de prullenbak. Morgen geeft ze een feest! Én ze heeft ineens een vriend in de klas. Én juf komt op haar feest. Én... Dan slikt ze. Iedereen denkt dat het haar verjáárdagsfeest is.

'Hé Moya! Zin in vanmiddag?' vraagt mama de volgende ochtend. Moya heeft net haar mond vol brood. Voor ze iets kan zeggen is het moment alweer voorbij. Mama loopt naar de keuken en tovert een grote aardbeientaart uit de koelkast.
Het lijkt wel of haar voeten vandaag de andere kant op willen als ze naar school loopt. Tegelijk met de juf komt ze aan.
'Goedemorgen Moya! Vandaag is de grote dag!'
'Eh... ja,' mompelt Moya.
Onder de les kan ze bijna niet opletten. Hoe moet dat nou vanmiddag? Misschien verklapt mama dat ze geadopteerd is. En dan weet iedereen het. Én mama weet dan dat Moya niks gezegd heeft. Én...

De dag kruipt voorbij. En toch is het veel te snel dat ze met de klas naar haar huis gaan. De hele groep is uitgelaten. Als ze het schoolplein aflopen kijken Lotte en Els hen beteuterd na.
Net goed, denkt Moya.
Dan stopt ze. Wat kan het haar eigenlijk schelen? Ze heeft nu toch een vriend in de klas?
'Komen jullie ook?' roept ze.
'Wat doe je nou, rare?' vraagt Derrik.
'Gewoon,' zegt Moya. Ze kijkt niet om of ze hen volgen. Ze heeft wel wat anders aan haar hoofd. Hoe ze straks moet doen alsof ze haar verjaardag viert. En hoe ze mama nog op tijd kan inseinen.
'Leuk dat ik ook mee mocht!' zegt juf als ze aankomen.
'Nee, hoor, leuk van u!' antwoordt mama.
De woonkamer is versierd met vlaggetjes. Ze lijken op Ierse vlaggetjes... Oh, nee, hè, denkt Moya.
'Hé, gaaf,' wijst Derrik. 'Daar ben ik wel eens geweest! Jij ook? Vet land is dat!' gaat Derrik enthousiast verder. 'Daar zou ik wel willen wonen!'
'Moya heeft daar gewoond!' zegt mama.
'Echt?' vraagt Derrik.
Moya voelt alweer hoe ze op een rode feestballon gaat lijken. 'Ja,

nou...' begint ze, net op het moment dat mama de kaarsjes aansteekt. Zes kaarsjes...
Oh, nee... Dit wordt vreselijk!
'Hè?' roept Derrik. 'Je bent toch geen zes?'
Even schiet het nog door Moya heen om te liegen. Dat de kaarsjes op waren ofzo. Dan kijkt ze Derrik aan. 'Nee... ik woon zes jaar in Nederland, bij mijn nieuwe vader en moeder,' zegt ze zacht.
'Dus je bent helemaal niet jarig!' roept Jan.
Ineens bedenkt ze iets. 'Ja, toch wél,' zegt ze. 'Want ik heb twee verjaardagen.'
'Niet!' zegt Els.
'Nee, n...' begint Lotte. Als juf haar aankijkt is ze meteen stil.
Moya voelt hoe mama haar arm om haar schouders legt. 'Moya is jarig op haar verjaardag én op haar adoptiedag,' zegt ze.
'Had ik dat maar,' zegt Jan met een zucht.
'Ja, vet!' roept Derrik.
Juf kijkt Moya lief aan. 'Goed van je, dat je het verteld hebt.'
'Dus u wist...'
'Natuurlijk,' zegt juf zacht, en ze geeft Moya een knipoog.

Van Anneke Wiltink verscheen ook:

Het gebarsten kompas
De verboden vallei
Het bloed van de papaver

zie ook: www.annekewiltink.nl

Jenny Schroevers won de schrijfwedstrijd 'Jong talent' van Uitgeverij Holland, de Zeeuwse Bibliotheek en Boekhandel De Drvkkery in Middelburg. Haar prijs was het schrijven van dit verhaal met kinderboekenschrijfster Anneke Wiltink. Ze is 13 jaar en zit in de brugklas.

Theo Olthuis
Streepjes

Tien-negen-acht-zeven-zes.
Allemaal dagen
met een streepje.
Mooi weg!

Vijf-vier-drie
en twee.
Allemaal dagen
met een streepje.
Opgehoepeld!

Als het lukt,
nog één nachtje
slapen...

welkom in

DE FEESTFABRIEK

NIEUW! afdeling WIZZKIDS

Je hebt van die kinderen, die zijn zó leergierig. Ze gaan veel liever naar school dan naar een feestje. Speciaal voor die wizzkids een afdeling vol spannende spullen voor tóch een knallend feest.

UITNODIGING

Hallo, kom je op mijn feestje?
Het begint maandag om twee uur.
Je ontdekt vanzelf wat we gaan doen...

Zoek een moeilijk leesbaar lettertype op de computer. Stel de lettergrootte in op de kleinste stand. Typ je uitnodiging en druk hem af. Bijna niet te lezen? Geen paniek, geef er een vergrootglas bij. Een onmisbaar instrument voor Wizzkids. (Voor weinig geld te koop op de markt of in de speelgoedwinkel)

HELP, TAART WEG

Tijd voor de taart. Maar die is weg (zogenaamd natuurlijk) Er ligt wel een leeg vel papier op tafel. Daar staat met onzichtbare letters op waar de taart is verstopt. Hoe kunnen we de letters te voorschijn toveren? Blazen? Wrijven? Toverspreuk opzeggen? Laat iedereen iets proberen.

Als niets lukt, leg jij het papier op de verwarming of onder een warme lamp.

Floep, daar komen de letters:

TAART IN DE GARAGE!

(Je hebt met geheime inkt geschreven: wattenstaafje gedoopt in citroensap met wat water)

KNAL!

Blaas twee ballonnen op. Op één van de twee plakje een stukje doorzichtig plakband. Pak een speld en zeg: 'Ik kan hiermee in de ballon prikken zonder dat ie knalt.'

Je prikt in het plakband en er gebeurt niets (Nou ja, de ballon loopt héél langzaam leeg, maar dat valt niet op) Er is wel iemand die dat ook wil proberen. Je geeft de andere ballon. En... KNAL!

NOG EEN BALLONNENTRUC

Als het feest begint zet je een lege fles in de koelkast. Na een uur haal je hem eruit en schuif je een ballon over de hals. Dan zet je de fles in een pan met warm water.
HEE! De ballon blaast zichzelf op!

SLIM Gooi een kopspeld in een glas water. Wie kan de speld boven water krijgen zonder het glas aan te raken. Jij! Met een magneetje langs het glas gaan, dan kruipt de speld vanzelf naar boven.

HOE KAN DAT?

Als je tóch net limonade met een rietje drinkt, is dit een mooi experiment. Zuig het rietje vol en sluit dan, nog in je mond, heel snel de bovenkant met je wijsvinger af. Haal zo het rietje uit het glas.
HEE, de limonade blijft in het rietje! Gek hè?

UITVINDER GEZOCHT

DIT IS PROFESSOR SPRUIT
HIJ VOND VAN ALLES UIT

EEN SPIJKER DIE BLIJFT DRIJVEN
EEN PEN DIE ZELF KAN SCHRIJVEN

EEN VOETBAL DIE GEHEID
ALTIJD HET DOEL IN GLIJDT

EEN FOTO DIE KAN PRATEN
EN ZELFS EEN WINDJE LATEN

MAAR SINDS EEN JAAR OF ACHT
HEEFT HIJ NIETS MEER BEDACHT

WIE VINDT WEER SNEL IETS UIT?
WIE WORDT DE NIEUWE SPRUIT?

TWEE NEUZEN

Kruis je middelvinger over je wijsvinger en druk beide topjes tegen het puntje van je neus. Krijg nou wat! Je voelt twee neuzen!

LACHLEPEL

De vlaflips staan klaar! Voor iedereen ervan gaat smullen, eerst even iets ontdekken. De lepel is een spiegel. In de holle kant zie je een raar gezicht. In de bolle kant sta je op je kop!

Anne Takens
Een pechverjaardag met een verrassing

Femmie slaapt al bijna maar opeens is ze weer klaarwakker. Ze schiet overeind in bed: 'Mam, ik moet je iets vragen en het is heel belangrijk!'
De moeder van Femmie is in de badkamer bezig en gaat naar Femmie toe.
'Ik dacht dat je al sliep!'
Femmie vraagt: 'Over hoeveel nachtjes slapen ben ik jarig?'
Mama denkt even na en telt op haar vingers.
'Over twintig nachtjes.'
Femmie zucht. 'Twintig nachtjes! Die duren nog heel lang!'
Mama lacht. 'Ik heb een goed plan. Morgen gaan we een aftelkalender maken. Elke avond mag je een kruis zetten door de dag die voorbij is. En dan... na al die dagen en al die nachtjes ben je jarig.'
Femmie gaat lekker liggen en zegt: 'Op 7 oktober word ik zeven jaar. Ik wil supergraag zeven worden want bijna al mijn vriendinnen zijn al zeven, behalve ik.'

De volgende dag is het zaterdag. Mama heeft een groot vel geel papier op de tafel gelegd. Ze pakt een liniaal en trekt er lange lijnen op en ook dwarslijntjes. Na een tijdje staan er een heleboel hokjes op het gele papier. Met een zwarte pen schrijft ze in elk hokje een datum.
In het laatste hokje staat: 7 oktober, Femmie jarig! Femmie plakt bij elke datum een leuke sticker. Bij 7 oktober plakt ze een hartje en een poezensticker. Ze hangt de aftelkalender boven haar bed en daarna maakt ze haar verlanglijstje. Ze scheurt een blaadje van haar kladblok en met haar allermooiste pen schrijft ze:

Nummer vijf is de liefste wens van Femmie. Ze heeft al honderd keer om een hondje gebedeld maar mama heeft steeds gezegd: 'Nee, we nemen geen hond want ik weet goed hoe dat gaat. Zo'n beest maakt altijd vieze poten op mijn schone vloer of op de nieuwe bank en daar heb ik echt geen zin in. Geen hond. Punt uit.'
Met een zucht trekt Femmie drie dikke zwarte strepen door nummer vijf...
Een week later vraagt mama: 'Wat voor leuks wil je doen op je verjaardagsfeest? Spelletjes? Ezeltje prik, koekhappen of stoelendans?'
Femmie heeft zin in een slaapfeestje. Mama zegt lachend: 'Een slaapfeestje lijkt me meer iets voor kinderen van groep 7 of 8. Zullen we een sprookjesfeest houden? Dan mogen de kinderen zich verkleden met sprookjeskleren en we kijken een film over Doornroosje of Sneeuwwitje. En na afloop gaan we frietjes eten.'
'Ja, dat vind ik super, mam!' juicht Femmie.
Die avond pakt ze een rode viltstift en streept weer een dag door op de aftelkalender. Tevreden duikt ze in bed.

Op een middag is het tijd om de uitnodigingen te maken voor de verjaardag. Femmie mag zeven kinderen vragen. Ze heeft leuke kaarten uitgezocht en samen met mama schrijft ze erop:

Kom je ook op mijn feestje?
Het is op woensdagmiddag 7 oktober
Van 2 uur tot 5 uur.
Je mag blijven eten, groetjes van Femmie

Femmie holt met papa mee naar de brievenbus en doet alle kaartjes op de post. Onderweg naar huis staat ze plotseling stil. 'Stop! Ik ben Mimoun vergeten!'
'Wie is Mimoun?' vraagt papa.
Femmie vertelt: 'Dat is een jongen, die naast me in de klas zit. Hij heeft een bril en bruine ogen. Elke ochtend doet zijn moeder gel in zijn haar en daarom staan zijn haren altijd rechtop en lijkt hij op een stekelvarken. Mimoun brengt steeds iets voor me mee, een dropje of een snoepje, een appel of een mandarijn. Ik wil dat Mimoun op mijn feestje komt. Maar misschien vinden de meiden van mijn klas dat wel stom.'
Papa zegt: 'Daar moet je je niets van aantrekken. Nodig die jongen maar gewoon uit.'

Thuis schrijft Femmie nog snel een kaart voor Mimoun. Ze weet geen adres van hem en dus stopt ze de uitnodiging in haar tas. Morgen op school zal ze hem aan Mimoun geven. Ze hoopt dat hij komt maar ze is bang dat hij een sprookjesfeest meisjesachtig zal vinden...
Dan bedenkt ze dat Mimoun een ridder kan zijn. Of de prins van Doornroosje...

Het is de avond van zes oktober. In de keuken staat alles klaar voor de verjaardag op school en papa is al bezig om de slingers op te hangen. In een kist zitten de verkleedkleren voor het sprookjesfeest: lange rokken van fluweel, een oud gordijn, sjaaltjes en hoeden, een zwaard voor de ridder, een mantel voor de prins, een roos voor Doornroosje. Papa heeft een knots van een sprookjestaart gebakken. Stiekem kijkt Femmie in de kast in de kamer of ze daar haar cadeautjes ziet liggen. Nee... Papa en mama hebben die natuurlijk goed verstopt. Ze luistert of ze misschien ergens in huis een hondje hoort blaffen. Maar dan zegt ze tegen zichzelf: 'Doe niet zo dom, Fem. Je krijgt geen hond en dat weet je. Punt uit.'
Femmie zet het allerlaatste rode kruisje op de aftelkalender.
Als ze in bed ligt begint ze te bibberen, net of ze het koud heeft. Dat is raar, want ze heeft het juist verschrikkelijk warm! Haar wangen gloeien en ze moet hoesten, proesten, niesen en kuchen. Papa laat haar wat drinken en zegt: 'Ik geloof dat je zenuwachtig bent voor morgen. Ga maar lekker slapen. Welterusten, bijnajarige Femmie!'
Midden in de nacht wordt Femmie wakker. Ze hoest en niest en ze is misselijk. Ze glijdt uit bed, loopt slaapdronken naar de slaapkamer van papa en mama en roept: 'Ik voel me een beetje raar!'
Papa snurkt, maar mama zegt slaperig: 'Kom maar tussen ons in.'
Femmie kruipt onder het dekbed, in het donzige plekje tussen haar vader en moeder. Daar is het veilig en warm en de misselijk-

heid gaat gelukkig over. Maar haar wangen gloeien zo...Net of er een vuurtje achter brandt. Ze krijgt rare dromen. Over van alles en nog wat door elkaar.
De volgende ochtend ligt Femmie nog steeds tussen papa en mama in. Ze denkt: ik ben jarig... jarig... maar ze heeft helemaal geen jarig gevoel. Ze is duizelig en ze wil het liefst weer gaan slapen. Papa en mama geven haar een kus en fluisteren: 'Welgefeliciteerd, Femmie!'
Mama legt een hand op Femmie's voorhoofd en stopt een thermometer in haar oor. Even later zegt ze: 'Arm kind, je hebt koorts. Je bent ziek.'
Femmie hoest, niest, snottert en piept: 'Ik wil geen koorts hebben! Ik wil niet ziek zijn! Ik moet naar school en ik wil mijn feestje vieren!'
Papa zegt: 'Je kunt nu echt niet naar school, lieverd. Je feestje vieren we gewoon een andere keer.'
Femmie huilt. Wat een pech! Wat een pechverjaardag!

's Middags mag Femmie op de bank in de kamer liggen. Papa en mama geven haar de cadeautjes. Ze krijgt alles wat op haar verlanglijstje stond behalve natuurlijk nummer 5, want daar had ze drie dikke zwarte strepen door gezet. Femmie doezelt steeds een beetje weg. Ze hoort niet dat de bel gaat en dat twee kinderen naar de bank toe sluipen.
Opeens wordt ze wakker en slaperig ontdekt ze Sanne en Mimoun.
Sanne zegt: 'Gefeliciteerd! Je bent echt een pechvogel, omdat je ziek bent geworden. In de klas hebben we wel heel hard voor je gezongen! En omdat je zo'n pechverjaardag hebt, krijg je een extra cadeautje. Mimoun heeft het bedacht en je vader en moeder vonden het goed.'
Mimoun roept: 'Ogen dicht en niet kijken!'
Femmie gaat rechtop zitten en doet haar ogen stijf dicht. Ze hoort papa en mama zachtjes lachen en Sanne giechelt mee. Dan zegt Sanne: 'Kijk maar!'

Oh! Naast Femmie op het dekbed ligt een jong hondje met wit krulhaar, grappige oogjes en een glanzend zwart neusje.
Mimoun zegt: 'Dit hondje is bij mijn oma thuis geboren en hij is al zindelijk, hoor! En hij is heel lief voor kinderen. Ik mocht hem aan jou geven omdat je zo'n pechverjaardag hebt. Je vader en moeder vinden het goed.'
Femmie's wangen worden vuurrood en haar hart bonst. Ze vraagt: 'Mag het wel, mam? Mag dat echt wel? Je wilde toch geen hond? Je zei altijd: "Geen hond, punt uit?"'
Mama zegt lachend: 'Het mag. Punt uit!'
Femmie straalt en zegt met een schor stemmetje: 'Mijn pechverjaardag is eigenlijk nog leuker dan een sprookjesfeest.'

Ze aait haar hondje over zijn zachte vacht en vraagt: 'Heeft hij al een naam?'
Mimoun grijnst. 'Mijn oma noemde hem gewoon Hond.'
Dat vindt Femmie niet leuk. Ze wil een echte naam bedenken. Maar dat komt morgen wel. Of overmorgen. Als ze weer helemaal beter is.

Van Anne Takens verscheen onder andere:

Jop de pop

zie ook: www.annetakens.nl

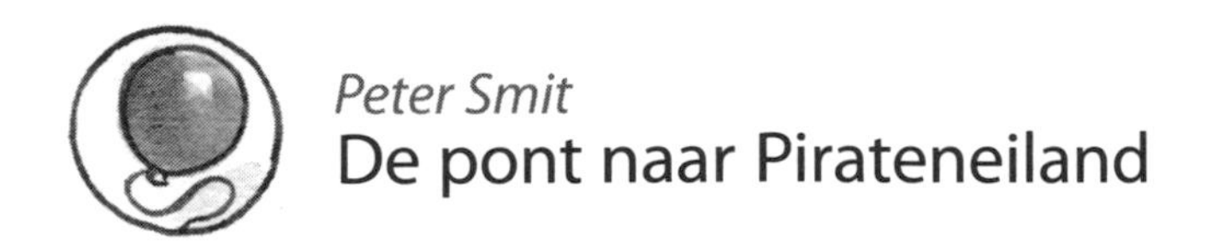

Peter Smit

De pont naar Pirateneiland

‘Waarom ben ik eigenlijk jarig,’ vraagt Ziggy opeens.
‘Omdat het vandaag precies acht jaar geleden is dat je geboren bent,’ zegt Tonneke.
‘En als je vandaag precies acht maanden geleden geboren bent, ben je dan maandig?’ vraagt Lizanne.
‘Of wekig, als je precies acht weken geleden geboren bent,’ zegt Marius.
Ziggy kijkt door het autoraampje naar buiten.
‘Mam,’ zegt hij dan, ‘de oma van papa wordt toch in de zomervakantie honderd?’
Mama knikt en begint te grinniken.
‘Ja,’ zegt ze, ‘ze is op 10 augustus jarig en dan is ze een eeuw oud.’
‘Maar dan is ze dus eeuwig!’ roept Ziggy. ‘En als je eeuwig bent, ga je nooit meer dood!’
‘Ik denk niet dat dat klopt,’ zegt Ziggy’s moeder. ‘Maar het is wel leuk bedacht.’
Ze kijkt naar de verkeersborden en laat de auto langzamer rijden.
‘Zijn we er al?’ vraagt Lizanne.
‘Bijna,’ zegt Ziggy’s moeder. ‘We moeten hier met de veerpont het kanaal over. Als we aan de overkant zijn is het nog een minuutje rijden naar het Pirateneiland.’
‘Mogen we onze ooglapjes al op doen?’ vraagt Ziggy.
Dat vindt zijn moeder goed. ‘Maar de zwaarden en de pistolen krijgen jullie pas als we aan de overkant zijn,’ zegt ze. ‘Anders wordt het weer vechten op de achterbank en daar krijg ik subiet hoofdpijn van.’

Als ze bij de veerpont aankomen vaart die net vanaf de overkant naar hen toe. Het pontje vaart langs een kabel die een stukje boven het water hangt.

'Is dit al van het Pirateneiland?' vraagt Tonneke.
'Nee, dit pontje is er al heel lang,' zegt Ziggy's moeder. 'En het Pirateneiland is gloednieuw.'
'Die veerman lijkt anders net op een piraat,' zegt Tonneke. 'Kijk maar, hij heeft een rode doek om zijn hoofd en een wit shirt met blauwe streepjes.'
'Waarom maken ze hier geen brug,' vraagt Marius. 'Dat is toch veel makkelijker? Dan hoef je niet telkens heen en weer te varen.'
'Met een brug kunnen er geen grote schepen meer door het kanaal,' zegt Ziggy's moeder.
'Nu toch ook niet,' zegt Marius. 'Kijk maar, er hangt een kabel over het water. Er kan helemaal niemand door!'
'De veerman kan die kabel laten zakken,' legt Ziggy's moeder uit. 'En dan varen de schepen eroverheen. Straks kun je zien hoe dat gaat, want ik zie daar in de verte een vrachtschip aankomen.'
Marius, Ziggy, Tonneke en Lizanne kijken naar de kant waarnaar Ziggy's moeder wijst. Er komt inderdaad een groot, zwart schip aan.
'Yo,' zegt Marius, 'volgens mij zijn het piraten!'

De veerpont is in de tussentijd het kanaal overgestoken. De veerman gooit een dik touw om een paaltje en laat de afrijklep zakken. Daarna haalt hij de slagboom op en kunnen de passagiers de pont af. Als iedereen aan wal is, rijdt Ziggy's moeder de auto op de veerpont.
'Wat is het eigenlijk een klein bootje,' zegt Tonneke een beetje benauwd. 'De auto past er maar net op.'
'Dat lijkt maar zo,' zegt Ziggy's moeder. 'Kijk maar, er kunnen ook nog fietsers op. En als ik helemaal naar de voorkant rij, kan er nog makkelijk een klein autootje achter.'
'Doe dat maar niet, mevrouw,' zegt Tonneke met trillende stem. 'Blijf maar een beetje in het midden, alstublieft.'
Achter de auto komen een paar fietsers staan. Het zijn een oude man en een vrouw. Maar als de veerman naar de slagboom loopt

om hem te laten zakken, stappen ze gauw weer van de veerpont af.
'Willen jullie niet naar de overkant?' vraagt de veerman.
'Ja, maar we gaan straks,' zegt de oude man. 'Mijn vrouw is nogal bijgelovig, ziet u. En deze auto heeft een nummerbord met het getal 13 erop, terwijl het vandaag ook de dertiende is. Dat zijn twee ongeluksgetallen bij elkaar, zodat mijn vrouw liever even wacht tot deze auto aan de overkant is.'
'Kunnen wij er ook niet af,' vraagt Tonneke nu benauwd.
'Dat helpt toch niet,' zegt Marius lachend. 'Dan staan we straks allemaal aan wal en vaart de veerpont zonder iemand erop naar de overkant. Lekker handig!'
'Hij vaart alleen als er iemand op zit,' zegt Tonneke nijdig. 'Dus hij vaart helemaal niet leeg naar de overkant. Je weet er niets van, slootwatermatroos.'
'Ik ben geen slootwatermatroos,' zegt Marius een beetje beledigd. 'Ik ben kapitein Haaienmepper de Eerste. Dat je het maar weet, onhandige dekzwabber.'
'Nu rustig, jongens,' zegt Ziggy's moeder. 'Anders gaan we weer terug.'
'Dat kan niet,' zegt Ziggy. 'Kijk maar mam, we zijn al aan het varen.'

Als Ziggy's moeder even later door de achterruit kijkt, ziet ze dat de twee fietsers naar haar zwaaien. Ze zwaait terug, maar dan beginnen de fietsers te roepen en op en neer te springen.
'Wat doen ze raar,' zegt Ziggy's moeder. Dan schrikt ze heel erg. In het water van het kanaal zwemt iemand naar de walkant. Een man met een rode doek om zijn hoofd en om zijn schouders een wit shirt met blauwe streepjes.
'De veerman,' gilt Ziggy's moeder. 'Kijk, die man daar! Maar dan ...'
Even is het doodstil in de auto. Iedereen kijkt uit de raampjes, om te zien of het echt waar is.

'De veerman is in het water gevallen!' gilt Tonneke. 'We zijn alleen op de pont! We liggen stil, midden in het kanaal! Wat...'
Tonneke maakt haar zin niet af. Ze wordt overstemd door een luid getoeter. Het getoeter komt van opzij en iedereen draait zijn hoofd die kant op. Dan schrikken ze voor de tweede keer heel erg: er komt een groot zwart schip recht op hen af! Iedereen begint nu in paniek door elkaar te schreeuwen.
'Wat moeten we doen?'
'Nee, ze varen over ons heen!'
'We moeten vluchten!'
'Er staat iemand naar ons te roepen, we moeten de auto uit!'
Dat laatste roept Ziggy's moeder. Dan slaat ze met haar handen op het stuur en zegt ineens heel kalm: 'Jongens, kunnen jullie zwemmen?'
Iedereen knikt. Ziggy's moeder doet de deur van de auto open en stapt eruit.
'Allemaal naar buiten,' zegt ze. 'Rustig blijven, het is mooi weer en iedereen kan zwemmen. Er gebeurt dus niks, we kunnen alleen maar nat worden.'
Vanaf het vrachtschip wordt weer getoeterd. Boven de voorplecht komt een hoofd van een man met een baardje en rood krulhaar tevoorschijn.
'Overboord!' roept hij.
'Jongens, schoenen uit en het water in,' zegt Ziggy's moeder. 'We zwemmen terug, die kant is het dichtstbij. Niet duiken, maar springen. En bij elkaar blijven. Ziggy, jij hebt je B-diploma, jij zwemt voorop. Ik heb C met reddend zwemmen, ik zwem achteraan. Als ik "nu" roep springen.'
'Ik heb ook B,' mompelt Tonneke, maar ze zegt het niet hardop.
'Een, twee, nu!' roept Ziggy's moeder.
Een seconde later ligt iedereen in het water.
'Het is best lekker,' zegt Marius stoer. Dan kijkt hij naar de kant en houdt hij zijn mond. Het is wel een heel eind...
'Wat doen jullie nu?' roept de schipper van de vrachtboot.

‘Opletten, ik gooi reddingsboeien! Dat je ze niet op je hoofd krijgt.’
‘We hebben zwemdiploma’s,’ roept Marius terug. Maar de schipper let er niet op en gooit drie reddingsboeien het water in. Ze komen tussen het schip en de zwemmers terecht.
‘Moeten we nu terugzwemmen om die dingen op te halen,’ vraagt Marius.
‘Haalt iedereen de kant?’ vraagt Ziggy’s moeder. ‘Eerlijk zeggen, anders zwem ik terug om zo’n boei te halen.’
Ziggy, Marius, Tonneke en Lizette kijken naar de kant van het kanaal.
‘Dat halen we makkelijk,’ zeggen ze.
‘Dan zwemmen we door,’ zegt Ziggy’s moeder.

Ze halen het inderdaad makkelijk. Als ze bij de kant zijn, helpen de twee fietsers en de druipnatte veerman ze een voor een aan wal. Ze moeten eerst even bijkomen, want iedereen is toch wel flink geschrokken. Dan komt er een grijze boot van de waterpolitie aan. De boot vaart tegen de kant aan en een agent stapt aan wal.
‘Wat is hier aan de hand,’ vraagt de agent, terwijl hij verbaasd naar de veerpont met de lege auto, het stilliggende vrachtschip en de kletsnatte piraatjes, hun moeder en de veerman kijkt.
‘Ik viel in het water toen ik de handel over wilde halen,’ zegt de veerman, ‘en toen kwam de pont midden op het kanaal stil te liggen.’
‘Wij sprongen van de pont af omdat de kapitein van dat vrachtschip riep dat we overboord moesten springen,’ zegt Ziggy’s moeder.
Even later is de schipper van het vrachtschip door de politieboot naar de wal gebracht.
‘Ik riep helemaal niet dat jullie overboord moesten springen,’ zei de schipper. ‘Ik riep “Man Overboord”, omdat ik zag dat er iemand van de veerpont was gevallen. Verder heb ik niks geroepen.’

Even is iedereen stil.
Ziggy, Tonneke, Marius, Lizette en Ziggy's moeder kijken naar elkaars druipnatte kleren.
'Hier in de zon kunnen jullie opdrogen,' zegt de politieman. 'Dan halen mijn collega en ik de pont naar de kant, zodat jullie weer met de auto terug naar huis kunnen.'

Een half uurtje later staat de auto weer op de walkant. De veerman laat de kabels zakken, zodat het vrachtschip verder kan varen.
'Gaan we nu naar Pirateneiland?' vraagt Ziggy.
'Een andere keer,' zegt zijn moeder. 'We gaan nu eerst naar huis om te douchen en schone kleren aan te trekken.'
Ziggy zucht. 'Nou, mooie verjaardag,' zegt hij.

Van Peter Smit verscheen onder andere :

De strijd om de Beemster
Op avontuur met kapitein Kwadraat

Ria Lazoe

Een beetje jarig

Hugo is jarig. En Hugo is boos!
'Ik vind het stom!' roept hij naar zijn papa die in de lege vrachtauto stapt. 'Waarom moeten wij nu net op mijn verjaardag verhuizen!'
Papa wappert even met één hand uit het raam. Dan rijdt hij de vrachtauto van de oprit af, naar de straat. Hij stuurt voorzichtig langs een grote shovel, die een hap uit de straatstenen neemt. Hugo schrikt, als de shovel met luid geraas de stenen laat vallen. Hij kijkt zijn vader na. Die rijdt nu naar hun oude huis, om de tafels en de stoelen op te halen. En de bank en de tv.
'Stom!' zegt hij nog eens.
Mama sluit de voordeur. 'Het kon niet anders,' zucht ze. 'Dat heb ik je toch uitgelegd? Als het zondag is, gaan we jouw verjaardag vieren. Vandaag hebben we helemaal geen stoelen voor de visite! Nou, vertel eens, heb je lekker geslapen, voor het eerst in het nieuwe huis?'
'Nee!' snauwt Hugo. Hij schudt mama's hand van zich af en loopt naar de lege woonkamer. Boos gaat hij op de grond zitten, tegen de kale muur aan.
Mama staat in de deuropening. 'Ik heb wel een verjaardagstaart in de koelkast, Hugo. Als papa straks terug is, eten we gezellig taart bij de koffie.'
Hugo probeert nog bozer te kijken. Taart... Hoe gezellig is taart eten, zonder opa's en oma's en vriendjes?
'Je hebt niet eens slingers opgehangen!' moppert hij. 'En mijn cadeautjes dan?'
Weer zucht mama. 'Vandaag, Hugo, ben je maar een béétje jarig. Op zondag helemáál! En nu ga ik naar boven om kasten in te ruimen. Je weet niet half, wat er allemaal nog te doen is!'
Daar zit Hugo. Hij hoeft niet meer boos te kijken, want mama ziet het toch niet.

Niks leuk, een nieuw huis, en morgen moet hij ook nog naar een nieuwe school! Weten ze daar wel dat hij vandaag zes jaar is geworden? Zingen ze daar ook voor een jarige? Mag hij dan boven op een versierde stoel staan, in de kring? Met een jarigen-muts op? Hoe zou dat zijn?
Hugo loopt naar de keuken. Wat een rommeltje is het daar met al die dozen. Hij pakt een krukje en draagt het naar de kamer. Midden in die grote leegte zet hij het neer. Hij klimt erop en kijkt rond. Leuk, als je zo groot bent! Hij kan nu ook goed naar buiten kijken. Die grote shovel heeft alweer een berg stenen laten vallen. Wat een lawaai! Nu alle nieuwe huizen in de straat klaar zijn, heeft papa verteld, worden stukjes straat opnieuw gelegd.
Hugo ziet busjes van timmermannen en schilders. En daar loopt

een meneer met een rol vloerbedekking op zijn schouder. Buiten is genoeg te kijken, maar binnen... Bah, wat een kale boel!
Hij laat zich op de keukenkruk zakken, op zijn buik. Hé, zo kan hij zwemmen! Armen vooruit, benen intrekken... wijd... sluit! Ha! Geen tafel of stoel die hem in de weg staat, dat is handig. In zo'n lege kamer kun je best leuk spelen! Wacht eens, de zachte bal! Hij draaft de trap op en haalt zijn zachte bal uit een verhuisdoos.
Terug in de woonkamer schopt Hugo zijn bal naar alle kanten. Dat gaat mooi! De bal ketst tegen de muren en komt zomaar weer bij hem terug. Nog een knal! Nog een! Dan zet hij het krukje tegen de muur, haalt een tweede kruk uit de keuken en maakt zo doelpalen. Boing! Doelpunt! Keeper, kijk dan ook uit! Hier is Hugo, de held van het veld! Bams! Pas op, weer een doelpunt! Ha! Leuk hoor, zo'n lege kamer!
Na een poosje staat ineens mama voor hem. Ze kijkt, met rimpels op haar voorhoofd, naar haar mobieltje.
'Ook dat nog!' foetert ze. 'De vrachtauto heeft motorpech. Het kan wel uren duren voor papa terug is! Sta ik er weer in mijn eentje voor! Nou, gezellig hoor!'
Hugo schopt zijn bal hard weg. 'Ja, gezellige verjaardag, als er niemand komt!' Hij slaat zijn armen over elkaar en kijkt naar de vloer. Er zitten ineens tranen in zijn ogen.
'Hugo! Begin nou niet weer! Zondag ben je helemáál jarig, maar...'
'Zondag! Zondag! Ik wil nú helemaal jarig zijn!' Hij duikt onder mama's hand door. Hij rent naar zijn bal en knalt er nog een doelpunt in. Mama zegt niets meer. Ze schudt haar hoofd en gaat weer naar boven.
Langzaam zakt Hugo's boze bui. Eigenlijk snapt hij best dat mama er niets aan kan doen.
Buiten klinkt weer het gerommel van straatstenen.
En dan krijgt hij toch een idee...
De voordeur gaat gemakkelijk open. Even later staat Hugo buiten

in de zomerzon. Vlak voor de shovel. Hij zwaait. De bestuurder leunt uit het raam. De motor gromt nu zachter.
'Meneer,' roept Hugo, 'kom je straks koffiedrinken? Mijn mama heeft taart, want ik ben een beetje jarig.' Hij wijst naar zijn huis. 'Daar woon ik.'
De man lacht: 'Een beetje jarig?' Hij tikt op zijn horloge. 'Prima, jochie. Tien uur?'
Hugo knikt en loopt verder. Daar zitten de stratenmakers op hun knieën in het gele zand. Hugo tikt er een op zijn schouder.
'Meneren? Komen jullie straks koffiedrinken? Mijn mama heeft taart, want ik ben een beetje jarig. Daar woon ik.'
De stratenmakers hebben toevallig heel veel zin in koffie met taart.
Dan gaat Hugo het huis van de buren binnen. Een paar behangers zijn druk aan het werk. De radio schalt door de lege kamers. Hugo moet er bovenuit schreeuwen: 'Meneren? Komen jullie koffiedrinken? Mijn mama heeft taart, want ik ben een beetje jarig. Daar woon ik.'
Een van de behangers wrijft in zijn handen. 'Taart! Jongen, voor een stuk taart zal ik een verjaardagsliedje voor je zingen!'
'Dat is goed,' zegt Hugo. Nu nog naar het huis aan de andere kant. Daar is een timmerman bezig een deurkruk vast te schroeven. Hij zegt dat hij net aan koffie en taart zat te denken!
Hugo huppelt naar huis. De voordeur staat nog op een kier.
'Mama!' roept hij onder aan de trap. 'Koffiezetten! Voor de visite!'
Mama komt snel naar beneden. Hugo vertelt wie hij allemaal heeft uitgenodigd. Mama's ogen worden steeds groter. Haar mond zakt open. Dan vliegt ze de keuken in.
Hugo hoort het water in de koffiekan spetteren. Het deksel van de koffiebus rinkelt op het aanrecht.
Tevreden pakt hij de keukenkruk en zet die weer midden in de lege kamer. Zo, daar gaat hij straks bovenop staan, als ze voor hem zingen.
Hij loopt naar het raam en wacht. Totdat... Ja! Het bezoek komt

eraan! Vlug doet hij de voordeur open. Het zijn er wel veel! De mannen stommelen naar binnen en trekken in de hal hun schoenen uit.
Mama kijkt met rode wangen en een scheef lachje om de deur. Ze zegt dat de koffie gauw klaar zal zijn en dat de heren maar in de kamer op de vloer moeten gaan zitten.
Een van de stratenmakers kijkt rond in de lege kamer.
'Geen slingers?' vraagt hij. Hugo schudt van nee.
'Kale boel,' zegt de man. Hij haalt een stuk opgerold plastic lint uit zijn zak. Het is rood en wit. Hij krijgt een rol tape van een schilder en plakt het lint in twee boogjes op het raam.
'Dat is leuk!' roept Hugo uit. De slinger is mooi gedraaid en gekruld! De hele kamer lijkt ineens feestelijk.
'Gefeliciteerd en asjeblieft,' zegt een behanger. 'Hou vast!' Hij geeft Hugo het begin van een rol behang in handen en rolt die helemaal uit over de vloer. 'Als je met je auto's speelt, kun je ze mooi over deze snelweg laten rijden. Een snelweg van wel drie meter!'
'Wow!' zegt Hugo. Wat een goed idee. Ruimte zat in de kamer!
De behanger plakt met schilderstape de einden van de rol behang op de vloer vast.
Nu stapt de timmerman naar voren. 'Gefeliciteerd en asjeblieft, jarige. Hiermee kun je de lijnen op je snelweg tekenen.' Hugo krijgt een superdik potlood. Zo'n kanjer heeft hij nog nooit gezien.
'Dank je wel!'
Dan klimt hij boven op de keukenkruk.
'Allemaal in de kring!' roept hij. 'Jullie moeten zingen dat ik jarig ben!'
'Maar Hugo…' klinkt aarzelend mama's stem. Ze kijkt nog steeds een beetje moeilijk.
'Geeft niet, mevrouw,' zegt de behanger. 'Dat heb ik hem beloofd.'
Hij grijnst en zingt met zware stem: 'O, wat zijn we heden blij…'

'Ho! Wacht even!' roept een stratenmaker. 'Die kruk is toch veel te laag voor een jarige! Hij moet hoger! Hij moet de lucht in!' Zijn hoofd maakt een beweging naar het raam. De anderen knikken begrijpend.
'Kom maar mee,' zegt de man. Hij fluistert even met Hugo's mama.
Wat nou, denkt Hugo. Waarom gaat iedereen de kamer uit? Waarom trekken ze hun schoenen weer aan?
'Jullie mogen niet weggaan!' piept hij. 'Jullie moeten nog zingen! En de taart...'
Niemand luistert. Tussen al die mannen moet Hugo mee naar buiten.

Een van de stratenmakers gaat in de cabine van de shovel zitten. De motor slaat brommend aan. De timmerman pakt Hugo op en zet hem zomaar op de grote schep van de shovel. Dat er veel zand in ligt, maakt niet uit.
Hugo voelt zijn hart bonzen. Dit is spannend! Hij steekt zijn voeten vooruit en zet zijn handen stevig naast zich neer. De motor brult steeds luider. Dan gaat de schep van de shovel langzaam, heel langzaam omhoog. Alle mannen staan heel dicht bij hem. En mama ook. Die heeft haar handen voor haar mond geslagen.
Hoger gaat Hugo! Hij komt boven de mannen uit! Dit is cool!
Als de behanger begint te zingen, doen de anderen mee: 'Lang zal hij leven in de gloria! In de gloooriiiaaa!'
Er komt een raar, hinnikend lachje uit Hugo's mond. Hij kan het niet tegenhouden, zo blij voelt hij zich. Aan het eind van het lied zakt de schep naar beneden. De timmerman tilt hem eraf. 'Nou? Ben je zo een béétje jarig?'
'Nee, helemáál jarig!' roept Hugo uit.
'Te gek!' zegt mama. 'En nu allemaal naar de koffie! Met taart!'

Van Ria Lazoe verscheen ook:

Vlammend rood

Zeg dan nee

Het Ragini Team

zie ook: www.rialazoe.nl

Anne Marie van Cappelle

De stoerste uitnodiging van de eeuw

Max trekt de deur van de plantenkas achter zich dicht. Planten, palmbomen. Hij kijkt omhoog en ontdekt trossen vol groene banaantjes. Het is snikheet in de kas. Tropisch heet.
Aan een lange klaptafel zit een man. Op de tafel staan glazen bakken.
'Die man lijkt op professor Barabas,' fluistert Eelco. Max begrijpt meteen wie zijn broer bedoelt. Barabas, uit de Suske- en Wiskestrip.
Er zitten spinnen en insecten in de bakken. In één bak zitten drie harige spinnen. Zulke grote heeft hij nog nooit gezien.
Kom maar, gebaart de professor. Er loopt een duizendpoot over zijn blote arm.
'Willen jullie ook?' vraagt de professor. 'Doe je mouw maar omhoog.'
Eelco haalt zijn schouders op. Hij laat zijn mouwen omlaag.
Hij is drie jaar ouder dan ik, denkt Max. Ik wil wel. Heel even.
Wat kriebelen al die pootjes. Max griezelt. Zijn arm schokt ervan.
De professor zet de duizendpoot terug in zijn bak.
'Bent u hier altijd?' vraagt Max.
'Op woensdag en soms op zaterdag. Ik wil iedereen laten zien hoe leuk deze dieren zijn.'
De professor pakt nu een reuzenspin. Max ziet heus wel dat zijn broer zijn handen snel in zijn zakken stopt. Vogelspin, Brazilië, staat er op de glazen bak.
'Heeft ze geen leuke roze voetjes?' zegt de professor. 'Ze is zachtaardig, maar kijk uit...' Eelco doet een stap achteruit.
'Mag ik?' vraagt Max en hij steekt zijn hand al uit. Maar de spin zoeft naar het andere eind van de tafel. De professor vliegt erachter aan en pakt hem nog net voor hij van de rand afvalt. 'Ze is razendsnel!'

De professor steekt zijn vingers in de spinnenbak en aait nu een andere spin. Deze heeft zwarte en witte strepen. 'Deze dame is niet zo snel, maar ze kan wel gevaarlijk zijn. Durf je haar aan te raken?'
Waar is Eelco? Max zoekt met zijn ogen. Eelco draait aan een knop op zijn fototoestel. Hij wil later fotojournalist worden. Of natuurfotograaf. Of allebei.
Max aait de spin. De zwarte en witte haartjes zijn zacht als een poezenvacht. Even later, als de spin op zijn mouw zit, maakt Eelco een foto. Max lacht. Spinnen zijn leuk!
Op weg naar huis, is Max stil. Hij droomt. De kou voelt hij niet. In gedachten is hij in de plantenkas, maar nu met zijn klas erbij.

Jim met zijn grote mond durft geen van de insecten aan te raken. Dan pakt hij, Max, met een stalen gezicht de grootste reuzenspin op en laat hem over zijn blote arm lopen. Zijn klasgenoten geven hem een luid applaus.
Nog drie weken, dan is hij jarig.
'Zou je daar je partijtje kunnen houden?' vraagt hij aan Eelco.
'Weet ik het.'
Eelco is zeker al te oud voor partijtjes.

Mama klikt de foto met een magneet op de deur van de koelkast. Hij staat er goed op. Lachend, stoer. En de vogelspin is superduidelijk te zien. 'Komt door het licht dat van alle kanten in de kas schijnt. Mijn beste foto tot nu toe,' zegt Eelco.
'Zou je daar je partijtje kunnen houden?' vraagt Max weer.
'Dat zou leuk zijn,' zegt mama. 'Dat ga ik uitzoeken!'
'Ja, zeker leuk. Echt iets voor smurfen,' plaagt Eelco.
'Waar slaat dat nou op?' Max wordt kwaad.
'Waarom plak je geen smurf op de uitnodiging?'
Hij wil zijn grote broer slaan, maar dan krijgt hij een idee. Hij pakt de vogelspinfoto erbij. 'Díe gebruiken we voor de uitnodiging!' Hij ziet de gezichten van zijn klasgenoten al! Vooral dat van Jim...
Yes, zegt Eelco. Nu is hij opeens wel enthousiast.

Diezelfde dag krijgen Eelco en hij een nog beter idee.
'Woensdagmiddag is er Open Dag in het asiel. Ze hebben daar apen, schildpadden, papegaaien, leguanen, alles,' leggen ze aan mama uit.
'We kunnen er samen met de bus naartoe. Ik wil daar een paar mooie foto's maken,' zegt zijn broer.
Eelco liegt niet, denkt Max.
'Je moet gewoon niet alles vertellen,' heeft Eelco gezegd, toen ze hun plan bedachten. De stoerste uitnodiging van de eeuw.

Samen lopen ze tussen de hokken. Tussen de kleine kooien is een pad van drie stoeptegels breed. Eelco heeft zijn fototoestel in een nieuw tasje schuin voor zijn buik.
Er komt iemand in een overall op hen af. 'Welkom op de Open Dag,' zegt ze. 'Ik ben Wies.' Er komen meer mensen bij hun groepje staan. 'Ik vertel graag wat over onze dieren.' Ze wijst naar twee bejaarde aapjes, die samen in een hok zitten en begint te vertellen over de tijd dat het nog niet verboden was om apen als huisdier te houden. 'Sommige mensen vonden het wel grappig, een aapje in huis. Maar dat viel eigenlijk altijd tegen.'
'Waarom gaan die aapjes niet gewoon naar een dierentuin?' wil Eelco weten.
Wies geeft geen antwoord en gaat gewoon door met haar verhaal. Ze is heel anders dan de professor in de plantenkas. Hoe krijgen ze haar zover dat... Hij kijkt naar Eelco, maar die draait alweer aan de knop van zijn fototoestel.

'Deze kas voor de leguanen hebben we pas gebouwd,' vertelt Wies. Eelco knikt naar hem: het gaat lukken, maak je geen zorgen.
'Het is binnen zesentwintig graden. Leguanen houden als huisdier? Dat mag. Maar het is niet zo makkelijk als het lijkt. In de eerste plaats hebben ze veel ruimte nodig...'
Max luistert niet naar de uitleg van Wies. Hij kijkt naar de tropische reuzenhagedissen. Doodstil liggen ze daar. Twee beginnen opeens traag te bewegen, alle rimpels en plooien in hun vel bewegen langzaam mee. Bij één zwellen de kwabben onder de bek op, zijn kop blaast zich op en de stekels op zijn kop en op zijn rug gaan overeind staan. Ahhh! Wat een griezel! Maar... wat is hij mooi. Ik durf het, zegt hij tegen zichzelf. Maar hoe komen ze binnen?
'... en daarom brengen de mensen ze naar het asiel. We zijn met een klein groepje. Zullen we eens naar binnen gaan?'
Yes! De andere mensen gaan ook mee. Binnen pakt Wies voor-

zichtig een van de leguanen op en ze zet hem op haar schouder. Deze leguaan blaast zich niet op, hij lijkt doodkalm. Eelco heeft zijn fototoestel al in de aanslag. Hij klikt, twee, drie keer.
Dan kijken Max en Eelco elkaar aan, nu moet het gebeuren! Dit wordt een superfoto, van hem met een leguaan! Op school zullen ze hun ogen niet geloven, als ze de uitnodiging zien!
Hij doet een stap naar voren. Wies ziet niets; ze praat maar door. Hij steekt zijn vinger op, zwaait ermee. Helpt niet, geen reactie. De leguaan ligt op haar schouder, zonder een millimeter te bewegen. Als Wies niet luistert, dan... doet hij het zelf. Hij weet precies hoe het moet. Wies pakte hem net vlak achter zijn voorpoten op, met twee handen.
Hij is al heel dichtbij... nog één stap.

Hij grijpt naar de leguaan.
'Wat doe je? Blijf af!' Wies duwt Max met haar vrije hand weg. Hij wankelt, hij weet dat hij gaat vallen, maait met zijn armen in de lucht.
Als de leguaan maar niet valt, gaat het door hem heen.

Als Max die avond in de badkamerspiegel kijkt, springen de tranen weer in zijn ogen. De leguaan is gelukkig ongedeerd gebleven. Maar dat geldt niet voor hem. Hij heeft flinke pech gehad, zijn achterhoofd sloeg tegen een betonnen rand. Om zijn hoofd zit een verband. Bovenop is het rood van het bloed. Een gat in zijn hoofd; de komende week moet hij rustig aan doen. En zijn pink is gebroken. Met een beetje geluk mag zijn hand over twee weken, als hij jarig is, uit het gips. Dood- en doodzonde dat Eelco die foto niet heeft kunnen maken. Dat hij die leguaan niet in zijn armen kon nemen! Met de handdoek veegt hij zijn tranen weg.
De badkamerdeur gaat open. Het hoofd van Eelco verschijnt naast het zijne in de spiegel. Met fototoestel!
Max keert zich woest om. 'Rot op!'
Eelco grijnst en drukt af.
'Ben je... ben je...' Max hijgt van kwaadheid. Als hij Eelco te pakken krijgt, dan...
Eelco loopt snel weg. Met zijn goede hand smijt Max de badkamerdeur dicht, zo hard als hij kan.

Max ligt die avond vroeg in bed. Zijn kop doet pijn. Hij is kwaad. Kwaad op zichzelf. Kwaad op Eelco. En hij ligt maar te draaien.
Dan piept de deur open. Wat is dat?
'Ik ben het, Eelco.'
Hoe durft hij? Max vergeet zijn hoofd. Hij schiet overeind.
Eelco doet het licht aan. Hij heeft een blad papier.
'Wat heb je daar?' schreeuwt Max.
'Ik heb alvast een ontwerpje gemaakt,' zegt Eelco.
Max kijkt naar zijn broer. 'Laat zien!'

Hij staart naar de foto en ziet zichzelf. Zijn gipshand in de mitella en zijn hoofd met het bebloede verband. Boven op het verband ligt een groene leguaan. Max' ogen lijken kwaad op de foto, maar dat kan ook pure stoerheid zijn.
Zijn mond valt open. 'Hoe…?'
'Een paar uurtjes knip- en plakwerk. Alsjeblieft! Wat vind je ervan?'
Max tilt zijn goede hand op en maakt een vuist. In de lucht raken de knokkels van hun vuisten elkaar.
'Yes!' roept Max.

Van Anne Marie van Cappelle verscheen onder andere:

Achter tralies

zie ook: www.annemarievancappelle.nl

Theo Olthuis

Even weg

Tis feest, mama is jarig.
Ik zit onder tafel
en kijk tegen allemaal
benen en schoenen aan.
Als ik wil,
kan ik zomaar iemand
kriebelen op z'n been
of knijpen in z'n grote teen.
Tis feest, mama is jarig
en ik ben even weg…
naar het Benenbos!
Niemand die mij ziet.

welkom in

DE FEESTFABRIEK

afdeling CIRCUS

Op deze afdeling zou je wel willen wonen, al die prachtige kostuums en die kleurige ballonnen. Kijk goed rond en maak dan thuis je eigen circus. Compleet met clowns en acrobaten!

UITNODIGING

Blaas ballonnen op en schrijf er met een viltstift de uitnodiging op. Laat de ballonnen weer leeglopen en deel ze uit aan de kinderen die je wilt uitnodigen. Moeten ze eerst de ballon opblazen voor ze weten wat er aan de hand is. Grappig toch?

VERKLEDEN

Span een waslijn door de kamer en hang daaraan de kostuums. Dat staat meteen al feestelijk. Kostuums kun je huren, maar je kunt ze ook zelf verzamelen. Oma, de buurvrouw, tante Koosje... ze hebben allemaal wel wat.

SCHMINKEN

Heel belangrijk! Hier zie je enkele voorbeelden van echte circusartiesten. Gebruik lippenstift, mascara, oogschaduw....
Met een zwart oogpotloodje teken je de mooiste snorren!

HOOGGEACHT PUBLIEK

KOM MAAR HEEL GAUW BINNEN
WANT OVER EEN MINUUTJE GAAT
DE VOORSTELLING BEGINNEN.

NOG NOOIT VERTOOND IN DEZE STAD
MISS MAYA MET HAAR ZWARTE KAT
ZES GEITEN MET HUN BELLEN
EEN EZEL DIE KAN TELLEN
DE KLEINE CLOWN MET ZIJN TROMPET
DIE SPEELT VAN RETTEKE... TUUT!

NOG NOOIT VERTOOND IN NEDERLAND
RINALDO MET ZIJN OLIFANT
DRIE TIJGERS LOSGELATEN
EEN PINGUÏN DIE KAN PRATEN
DE GROTE CLOWN MET KLEINE TROM
DIE SPEELT VAN ROMMELE... BAM!

HOOGGEACHT PUBLIEK
IK HEB HET NIET VERZONNEN
SST... STILTE ALSTUBLIEFT
HET CIRCUS IS BEGONNEN!

TIP! Jongleren kun je het beste leren met kleine zakdoekjes. Die vallen maar langzaam naar beneden zodat je ze makkelijk kunt pakken.
Begin met één, dan met twee. Maak het steeds moeilijker. Bijvoorbeeld: gooi een zakdoekje op, draai een keer rond en vang het weer op.
O ja, gebruik zakdoekjes van stof, die van papier waaien alle kanten op.

COUP CIRCUS

Hèhè, even pauze. Met iets lekkers. Vul een ijshoorntje met smarties, zet een marshmellow bovenop en maak het af met een parapluutje.

WELKE ACT KIES JIJ?

Theo-Henk Streng

Hij leve hoog!

Rillend sloeg Fabian de bladzijde van zijn schrift om.
Hij keek naar de klok. Tien voor half elf. Zijn buik trok zich samen.
Juf Margot zat aan haar bureau, hun rekenwerk na te kijken.
De rest van de klas was bezig met de taalopdrachten. Maar Fabian niet. Het lukte hem niet meer om zich te concentreren. Achter zich hoorde hij een stoel verschuiven. Aan het gewicht te horen was het de stoel van Job. Job boog zich naar voren, tot zijn gezicht vlak achter dat van Fabian was. 'Hij leve hoog, ja hoog...' fluisterde hij geniepig.
Bert, Jobs beste vriend, begon te grinniken.
'Kan het wat zachter?' vroeg juf Margot.
De twee jongens knikten en gingen verder met hun werk.
Pestkoppen waren het. Sinds ze het wisten, pestten ze hem ermee. Sinds die ene gymles, de eerste gymles op zijn nieuwe school. Het was ze gelijk opgevallen. Iedereen durfde op de kast te klimmen, behalve Fabian.
Juf Margot had hem uiteindelijk omhoog geholpen, tot hij erop stond. Maar Fabian was niet trots op zichzelf. Met knikkende knieën had hij staan wachten tot de juf hem er weer afhielp.
Job en Bert vonden het schitterend. Steeds weer slingerden ze hem opmerkingen naar het hoofd en vroegen ze hem bijvoorbeeld of hij wel op de stoep durfde te lopen. 'Of is dat ook te hoog?' vroegen ze dan.
En de juf, die wist van niks.
Fabian zuchtte. Nog een paar minuten. Dan zouden ze zijn verjaardag vieren. Maar het liefst was hij gewoon thuis gebleven. De gedachte aan de tafel van de juf deed hem huiveren. Het was een vast ritueel om op haar bureau te klimmen zodat er gezongen kon worden, maar hij wilde echt niet.

Fabian keek naar juf Margot. Ze voelde zijn blik, keek op en glimlachte. Fabian glimlachte niet terug en de juf ging verder met de schriften.
Wat zou er straks gebeuren? Hij zou voor de tafel staan en dan verwachtte iedereen dat hij erop ging klimmen. Maar zou hij dat kunnen? Zonder de hand van juf Margot vast te pakken... Hij moest er niet aan denken. Het ging vast en zeker verkeerd. Hij zou vallen. Met een klap naar beneden.
En Job en Bert... die zouden hem uitlachen.
'Niet bang zijn, lieverd,' had zijn moeder die ochtend tegen hem gezegd toen hij haar over zijn angst vertelde. 'De juf weet toch zeker wel dat je hoogtevrees hebt? Zeg dat maar gewoon tegen haar. Dan mag je vast op de grond blijven staan.'
Maar dat had hij niet gedaan. Dat durfde hij niet. Wat zou juf Margot wel niet van hem denken? Dat hij hoogtevrees had! Natuurlijk kon je bang zijn. Voor inbrekers bijvoorbeeld, of voor monsters. Maar toch zeker niet voor hoogte! Wie was daar nu bang voor?
Zuchtend ging hij verder met zijn taalwerk.
De klas was muisstil aan het werk. Alleen de pen van juf Margot kraste zo nu en dan eens over het papier. Fabian beeldde zich in dat ze bezig was met Jobs schrift, of dat van Bert. Helemaal vol met paarse strepen, want de juf keek met paars na.
De klok tikte genadeloos door. Fabian kon het bijna horen. *Tik, tik, tik...* Nog eventjes en dan... Hij dacht er niet aan, ging snel verder met zijn laatste taalopdracht. Nog even en hij was klaar. Het liefst had hij nog tien bladzijdes gemaakt. Alles liever dan...
'Zo kinderen.' Juf Margot schoof haar stoel naar achteren en stond op. Verheugd vouwde ze haar handen samen. 'Leg je pen en potlood maar neer, dan gaan we eerst een klein feestje bouwen.'
Fabian kromp ineen.
'Mag ik onze jarige uitnodigen om naar voren te komen?'
De ogen van alle kinderen waren op hem gericht. Hij zag ze niet, maar hij kon ze voelen. Bibberend schoof hij zijn stoel naar ach-

teren. Onhandig liep hij tussen de tafelgroepjes door naar voren, waar juf Margot hem met uitgestoken hand stond op te wachten. Die hand was zijn enige houvast. Zonder die hand zou hij vast en zeker omvallen. Nu al.

Fabian bleef bij de juf staan. Toen kwamen de woorden. 'Oké Fabian. Ga maar op de tafel staan!'

Een tel van aarzeling.

Fabian keek op. Hij voelde dat zijn gezicht bleek was. Zweet parelde op zijn voorhoofd. Hij hoopte dat juf Margot de angst in zijn ogen zag, maar ze keek naar de rest van de klas. Ze had niets in de gaten.

'Ik wil niet,' fluisterde hij, zo zacht dat niemand het kon horen. 'Ik wil niet. Ik wil niet...'

'Kom Fabian, ga maar staan.' De juf gaf hem een zetje, terwijl ze terugliep naar de kast om stroken papier voor zijn verjaardagsmuts te pakken.

De rest van de klas keek afwachtend toe. Job grijnsde vuil.

Zijn benen trilden. Hij had een voet op de kruk gezet, die het opstapje naar de tafel was. Zijn voet bleef daar even staan. Juf Margot niette zijn muts in elkaar en kwam teruggelopen. Ze knipoogde even naar Fabian en zette hem de muts op.

'Zo Fabian,' zei ze. 'Kom maar, dan help ik je een handje.'

Fabians adem stokte in zijn keel. Hij stond nog steeds met een voet op de kruk. De hand van juf Margot kwam op hem af. Hij bewoog zijn eigen hand, maar het was net of het zijn hand niet was. Alles bewoog. De grond, de klas, de kruk en de tafel van juf Margot. Het begon hem te duizelen.

De hand van de juf greep de zijne en daar had hij houvast aan. Maar nu leek het net of de kruk onder hem vandaan wegzakte, net als de grond.

'Stap er maar op,' zei de juf. 'Goedzo, zo ja...'

Fabian besefte dat hij zijn ogen had gesloten. Toen hij ze opende zag hij de klas, aan zijn voeten. Zijn knieën knikten, maar hij stond op het bureau.

'Hartstikke goed,' zei juf Margot zachtjes tegen hem. 'Ik blijf bij je staan.' Ze knipoogde en Fabian durfde voorzichtig te glimlachen. Was het hem echt gelukt? Stond hij hier nu echt, boven op de tafel van juf Margot? Hij durfde heel voorzichtig naar beneden te kijken, naar de punten van zijn schoenen. Ja, hij stond er echt. Hij kneep in de hand van juf Margot. De juf liet hem niet los. Die zou hem niet laten vallen.
'Fabian, wat heb je allemaal gekregen voor je verjaardag?' wilde juf Margot weten.
'Een eh...' Wat had hij ook alweer gekregen? Papa en mama hadden hem een groot cadeau gegeven. In de woonkamer. 'Een nieuwe fiets,' zei hij toen. Zijn stem haperde. 'Met versnellingen.'
'Zo, zo,' zei juf Margot. 'Dan hebben ze je wel verwend, hè?'
Fabian knikte. Voorzichtig keek hij weer naar de klas. Net nog leek het of de klas had bewogen, alsof hij op het dek van een schip stond en alles heen en weer ging. Nu was dat helemaal over. Er was niks geks te zien. Zelfs Jobs grijns was verdwenen.
'Wat voor liedje zou je willen horen, Fabian?'
Hij trok zijn schouders op. Wat kon het hem schelen wat ze voor hem zongen? Hij had wel wat anders aan zijn hoofd. Staan blijven, bijvoorbeeld.
'Nou, laten we dan maar beginnen met 'Hij leve hoog'.' Juf Margot zette in en de klas nam het van haar over.
Terwijl de klas aan het zingen was bleef ze hem stevig vasthouden. Fabian voelde hoe de spanning uit zijn lijf gleed. Hij stond hier op de tafel en er gebeurde helemaal niks! Hij had het gered.
Na het zingen keek juf Margot naar het dienblad dat op het aanrecht stond. 'Dan is het nu tijd voor de traktatie,' zei ze. 'Kom maar Fabian, dan help ik je naar beneden.'
Dankbaar pakte Fabian haar hand nog wat steviger vast. Zijn benen trilden, maar lang niet zo erg als toen hij erop moest. Hij klom rustig van de tafel naar de kruk en stond eindelijk weer op de grond. Hij keek glunderend naar de juf, die naar hem knipoogde. 'Goed gedaan, Fabian. Ik ben trots op je.'

Samen liepen ze naar het dienblad. Met een geheimzinnig gebaar trok de juf de theedoek weg. 'Zo dat ziet er heerlijk uit!' zei ze toen ze de lekkernijen zag.
Met een grote glimlach op zijn gezicht deelde Fabian zijn traktatie uit. Zijn verjaardag kon nu al niet meer stuk. Het was hem gelukt om zijn grootste angst te overwinnen. Hij was op de tafel van de juf geklommen en hij had het zelfs een klein beetje leuk gevonden. Morgen hadden ze weer gym. Nu nog op de kast proberen te komen...

Van Theo-Henk Streng verscheen eerder:

De nalatenschap
Uitgebroken

zie ook: www.theohenkstreng.nl

Tanja de Jonge

Een partijtje met een schat

Al weken heeft Guusje het over haar verjaardag. Mama heeft gezegd dat zij zelf mag kiezen hoe ze haar partijtje wil vieren. Wil ze een partijtje met spelletjes, met zijn allen naar de film of naar een pannenkoekenhuis? Guusje denkt er lang over na. Op een ochtend, tijdens het ontbijt, weet ze het ineens.
'Ik wil een partijtje met een schat,' zegt ze.
'Een schat?' vraagt mama.
'Ja, een schat met goudstukken, die je moet zoeken met een schatkaart. En dan een heks die de schat bewaakt. Dat is cool.'
'Hoe kom je daar nou bij,' vraagt papa verbaasd.
'Dat heb ik op tv gezien,' zegt Guusje. Papa en mama kijken elkaar aan.
'Wil je niet liever ergens heen,' vraagt papa. 'Vorig jaar vond je die trampolines zo leuk.' Guusje kijkt peinzend. Vorig jaar waren ze naar een grote binnenspeeltuin geweest. Ja, dat was ook leuk.
'Maar ik wil nu liever een schat. En een heks! Een speeltuin is zo kinderachtig.'
'Naar een leuke voorstelling dan,' probeert papa. 'Of met zijn allen naar het zwembad, dat kan ook.'
'Nee papa,' zegt Guusje beslist, 'ik mag kiezen en ik kies een schat en een heks.'
'Dat is wel een heel leuk idee,' zegt mama.
'Maar hoe komen we aan een heks?' vraagt papa. 'Ik ken geen heksen die ik daarvoor kan vragen.'
'Die spelen we zelf,' zegt Guusje. 'Dat doen we op school ook altijd. Met verkleedkleren. Dan is mama de heks.'
'Oh ja,' lacht mama. Papa zucht.
'Is dat niet veel te eng voor de kinderen?' vraagt hij. Mama trekt een gek gezicht naar papa.
'Nee hoor,' zegt Guusje, 'wij vinden dat juist spannend.'

Nog maar één nachtje slapen tot het verjaardagspartijtje. Mama heeft zich als een heks aangekleed, om alvast te oefenen. Ze ziet er prachtig uit, vindt Guusje. Je zou bijna denken dat ze een echte heks is. Ze heeft een punthoed opgezet en zwarte kleren aangetrokken met een cape. Onder de hoed zit een pruik met sliertige haren. Ook heeft ze een pukkel getekend op haar wang. Maar het mooiste is haar neus. Het is een plastic haakneus uit de feestwinkel, met een elastiekje eraan, dat je achter je oren moet doen.
'Mag ik hem ook eens op, mama?' vraagt Guusje.
Mama geeft haar de neus. Guusje zet hem op en kijkt in de spiegel. Ze moet vreselijk om zichzelf lachen.

De volgende dag zit Guusje te stralen op de bank. Iedereen is op haar partijtje gekomen. Vijf vriendinnen heeft ze uitgenodigd. Isabel is er en Sophie, Kim, Lisa en natuurlijk Senja. Ze hebben allemaal een leuk cadeautje meegebracht. Als alles is uitgepakt en bewonderd eten ze slagroomtaart. Het is supergezellig.
Terwijl ze zitten te kletsen aan tafel, sluipt mama ongemerkt de kamer uit. Dan vraagt papa of iedereen even stil wil zijn, want hij wil iets vertellen.
'Er is vanmorgen met de post een vreemd pakketje gekomen voor Guusjes verjaardag,' zegt hij op zachte toon, alsof hij een geheim vertelt. 'Guusje wil jij het even pakken?'
Guusje staat op en haalt een kartonnen doosje uit de kast. Ze zet het op tafel neer en maakt het open. Alle meisjes komen nieuwsgierig dichterbij. Senja steekt haar hand in de doos en haalt er een zaklantaarn uit.
'Zaklampen?' vraagt Lisa. Guusje grijpt nu ook in de doos. Ze trekt er een groot stuk papier uit. Het is een schatkaart. Papa heeft hem gemaakt op de computer. Zijzelf heeft hem ingekleurd met stiften. Trots laat ze hem zien aan de anderen.
'Wat is dat?' vraagt Isabel.
'Dat zie je toch wel? Het is een schatkaart,' antwoordt Guusje.
'Er zat ook een brief in het pakje,' zegt papa, 'ondertekend door Dirk Droogbrood.'

'Wie is dat?' vraagt Senja.
'Die woonde vroeger in deze flat,' zegt papa geheimzinnig. 'Hij is een oude inbreker. Hij heeft hertogen beroofd en baronnen en bankdirecteuren.'
'Bankdirec...? Woonde hier vroeger een échte bankrover?' vraagt Kim ongelovig.
'Jazeker. En in de brief schrijft hij dat hij in de kelder van dit gebouw een deel van de geroofde buit verstopt heeft. Het zit in een gouden schatkist. Wij mogen die vanmiddag gaan zoeken.'
'Een schát?' Kim kijkt wantrouwend naar papa en Sophie vraagt:

'en als we die vinden, voor wie is hij dan?'
'De schat is voor de eerlijke vinder,' zegt papa, 'dus voor ons.'
'Maar als die schat gestolen is,' zegt Lisa, 'dan mag je die niet houden, hoor. Die moet je bij de politie brengen.'
Guusje zucht. Ze vindt het helemaal niet leuk dat haar vriendinnen zo doorvragen. 'Laten we de schat nou maar gewoon zoeken,' zegt ze. Ze begint de zaklantaarns uit te delen aan haar vriendinnen.
'Oh, maar wacht even,' zegt papa, 'er is nog wel een probleem, want die schat wordt bewaakt door een echte heks.'
'Hoe kan dat nou?' vraagt Kim.
'Er woont gewoon een heks in onze kelder,' reageert Guusje ongeduldig.
'Die woont er al jaren,' vult papa aan. 'Daarom durft hier nooit iemand naar de kelder. Maar Dirk Droogbrood stuurt speciale fluitjes mee. Als je de heks ziet moet je daarop blazen, schrijft hij.'
Senja graait in de doos op tafel. Onderin ligt voor iedereen een fluitje. De kinderen pakken ze en blazen er enthousiast op. Een hoog snerpend gefluit vult de kamer.
Ze trekken hun jassen aan en gaan met de lift naar beneden tot in de kelder. Daar komen ze in een lange gang met deuren, waarachter spullen bewaard worden van de flatbewoners. Het is er heel donker, er branden alleen een paar zwakke lichtjes bij de nooduitgangen. De kinderen schijnen met hun zaklampen over de deuren. Guusje wijst de weg. Ze tuurt op de schatkaart, terwijl Isabel haar lamp erbij houdt.
'Na acht deuren moeten we naar rechts,' vertelt Guusje. Het geluid van haar stem weergalmt in de holle ruimte. Hoort ze nu geschuifel in de verte? Dat is mama natuurlijk. Zij zit in de volgende gang te wachten. Kim gaat voorop. Haar zaklamp verlicht de betonnen vloer. 'Ik vind dit wel griezelig, hoor,' fluistert Senja.
'Spannend hè,' giechelt Lisa.
Ineens draait Kim zich om en schijnt met haar lamp van onderen

op haar eigen gezicht. 'Whoaaaaaah, ik ben een geest,' roept ze spookachtig. De anderen grinniken. Plotseling klinkt er een luide knal in de gang.
'Wat was dat?' vraagt Sophie ongerust. Guusje kijkt verbaasd naar papa. Dit hoort toch niet bij het plan? Papa ziet er ook verbaasd uit. Weer klinkt er een harde knal en daarna geknars en gekraak, alsof het halve gebouw wordt gesloopt. Guusjes hart begint sneller te kloppen. Verderop is een kruispunt van gangen. Het lijkt alsof het geluid van rechts komt. Nieuwsgierig loopt ze erop af. De anderen volgen haar op de voet. Bijna bij de volgende hoek, klinkt er weer een slag. Dan schijnen de vriendinnen met hun zaklampen in de zijgang. Ze schrikken hevig. In het gebundelde licht staat een man met grote ogen naar hen te kijken. Zijn donkere muts verbergt een deel van zijn gezicht. Hij heeft een ijzeren staaf in zijn hand en in de deur naast hem zit een flink gat met spaanders. Was hij daar aan het inbreken? Lisa is het eerst van de schrik bekomen. Ze haalt diep adem en roept als een echte politieagent: 'Op heterdaad betrapt!'
Daarop laat de inbreker zijn staaf vallen met een hels kabaal. Hij draait zich om en rent zo snel mogelijk bij de meisjes weg. Maar hij heeft niet op mama gerekend. Zij springt ineens tevoorschijn met wijd gespreide armen.
'Hooo, staan blijven!' gilt ze luid. Nu krijgt de inbreker de schrik van zijn leven. Mama ziet er angstaanjagend uit in het schemerdonker, met haar fladderende heksencape, haar wilde pruik en haar grote haakneus. Midden in de gang wankelt de man een stukje achteruit en draait zich vervolgens in hevige paniek om.
'Aaaarchgggg!' brult hij, terwijl hij op de kinderen afrent.
Alsof ze het hebben afgesproken blazen de meiden nu keihard op hun fluitjes. Daarna pakken ze hem met zijn allen stevig vast. Papa helpt ook mee. En omdat de inbreker zo geschrokken is en overdonderd wordt door het gillende gefluit, kost het helemaal geen moeite om hem mee naar buiten te krijgen. Dan gaat alles heel snel. Papa houdt de inbreker goed vast, samen met de kinde-

ren. De heks belt met haar mobieltje de politie. Al na vijf minuten arriveert er een politieauto om de man te arresteren. De agenten vertellen dat ze deze dief al een tijdje zochten, maar dat ze hem steeds niet te pakken konden krijgen. Ze bedanken de kinderen hartelijk voor hun moedige daad.

Thuis krijgen de jarige en haar vriendinnen limonade en chips. Ze praten honderduit over hun heldendaad. Mama komt de kamer binnen. Ze heeft haar eigen kleren weer aan en houdt haar handen op haar rug. Ze vraagt geheimzinnig:
'Wat zou die man nou gezocht hebben in die donkere gang?'
De kinderen staren haar nieuwsgierig aan.
'Oh ja!' zegt Isabel dan.
'De schat!' roept Senja.
'Was er dan echt een schat in de kelder?' vraagt Lisa verbaasd.
Mama haalt lachend een goudgeverfde doos tevoorschijn van achter haar rug. Hij zit vol gouden munten, met chocola erin. Alle kinderen juichen en graaien in de doos. De munten vliegen door de kamer.
'U was wel een heel goede heks,' zegt Isabel even later met haar mond vol chocola.
'En jullie goede boevenvangers,' zegt mama glunderend.
'Ik zag anders meteen dat u Guusjes moeder was, hoor,' beweert Kim. 'Die neus was maar van plastic, dat zag je zo.'
'Ja, die dief was echt dom,' vult Lisa aan
'Nou,' beaamt Senja, 'dat hij daar intrapte! Die had vast nog nooit een échte heks gezien.'

Van Tanja de Jonge verscheen ook:

Dwaalspoor in de diepte

zie ook: www.tanjadejonge.nl

Ellen Stoop
Samen jarig

Isa en Belle zijn zusjes. Tweelingzusjes. Ze zijn precies even groot, precies even blond en precies even oud. Nou ja, precies... Isa is een kwartier eerder geboren dan Belle, zegt mama altijd. Dus Isa is de oudste en daarom heet Isa Isa en Belle Belle. Mama vond Isabelle zo'n mooie naam dat ze 'm gewoon in tweeën heeft geknipt. Isa en Belle, samen één.

Nog drie nachtjes slapen en dan zijn Isa en Belle jarig. Dan worden ze zes.
Belle is zó benieuwd wat ze zullen krijgen! Nog drie nachtjes slapen, dat houdt ze nooit vol. Krijgen ze een fiets of een poppenhuis? Of een schommel in de tuin?
'Ga je mee naar boven?' fluistert Belle.
Isa legt haar pop voorzichtig op de bank en loopt achter Belle aan. Zachtjes sluipen ze de trap op. Mama is aan de telefoon met oma. Die merkt niets.
Op de overloop staat Isa ineens stil.
'Wat gaan we doen? Ik vind het eng op zolder.'
'Gewoon even kijken,' zegt Belle. Ze pakt Isa's hand en trekt haar mee de trap op.
Het is donker boven. Belle zoekt het lichtknopje. Ze kan er net bij als ze op haar tenen gaat staan.
Zo, nu kunnen ze wat zien. Hun hobbelpaarden staan er, heel veel dozen, een oude kast van oma, hun wiegjes. Maar nergens staat een cadeau. Waar zouden papa en mama hun cadeau verstopt hebben?
Belle laat Isa's hand los en loopt verder. Ze kijkt achter de dozen, onder de wiegjes, bij de hobbelpaarden. Misschien zit het wel in de kast van oma. Het is een heel grote kast. Er zouden best twee fietsen in passen, denkt Belle.

Voorzichtig probeert ze de deur open te trekken. Maar dat lukt niet.
'Hij zit op slot,' fluistert Isa.
Belle probeert de sleutel om te draaien. Maar de sleutel wil niet draaien, wat ze ook probeert.
'Isa, Belle,' roept mama van beneden. Ze horen stappen op de trap. 'Zijn jullie op zolder?'
'Ja,' roept Isa. Isa kan heel hard roepen. Zo hard, dat het pijn doet aan Belles oren.
Hijgend staat mama ineens naast ze. 'Wat doen jullie op zolder?' vraagt ze. Ze knielt tussen hen in, haar gezicht is vlakbij. 'Jullie hebben hier toch niets te zoeken? Er staat alleen maar oude troep. Kom, dan gaan we naar beneden.'
Ze pakt een hand van Isa en een hand van Belle en loopt naar de trap.

Oude troep! Dat vindt Belle juist leuk. En ze zoeken wel wat. Hun cadeau, maar dat mag mama natuurlijk niet weten.

Nog twee nachtjes slapen en dan zijn Isa en Belle jarig. Wat zullen ze voor hun verjaardag krijgen? Belle is zó benieuwd, dat houdt ze nooit vol. Krijgen ze een fiets of een poppenhuis? Of een schommel in de tuin?
Papa zit achter de computer. Heel snel gaan zijn vingers. Tik-tak-tik-tik-tak. Hij kijkt op zijn handen, en dan weer op het scherm. Isa zit tegenover papa. Ze is aan het tekenen. Het puntje van haar tong steekt uit haar mond.
Belle houdt al heel lang haar potlood vast. Er staat nog niets op haar papier. Ze kan alleen maar aan hun cadeau denken. Op zolder staat het niet. Maar misschien staat het wel in de kelder. Ze schuift van haar stoel en loopt naar de deur.
'Wat ga je doen, Belle?' vraagt papa. Hij kijkt even op en doet nog steeds tik-tak-tik-tik.
'Even naar de wc,' zegt Belle snel.
Vandaag moet ze alleen gaan kijken. Mama heeft een keer een muis zien lopen in de kelder. En Isa is vreselijk bang voor muizen. Belle is niet bang. Zachtjes trekt ze de deur van de kelder open. Het licht floept vanzelf aan. De trap kraakt een beetje. En het stinkt. Belle kijkt om het hoekje. Alle planken staan vol met potjes en blikjes en flessen. Nergens ziet Belle een poppenhuis, of fietsjes en al helemaal geen schommel.
En dan hoort ze de kelderdeur dichtslaan. Het licht gaat uit. Belle vindt het ineens helemaal niet meer leuk in de kelder. Ze wil weg. Maar waar is de trap?
'Papa!' gilt Belle. Ze kan bijna net zo hard gillen als Isa.
Het licht springt aan en Belle rent de trap op.
Papa kijkt heel verbaasd. 'Belle, wat doe jij nou in de kelder? Ik dacht dat je op de wc zat.'
Belle slaakt een diepe zucht. Ze is zo blij dat ze weer in de gang staat. 'Gewoon even kijken,' zegt ze.

Papa duwt Belle de kamer in. Isa zit nog steeds te tekenen. 'Kom maar gauw een mooie tekening maken voor opa,' zegt papa. 'Die komt straks logeren.'

Nog één nachtje slapen en dan zijn Isa en Belle jarig. Wat zullen ze voor hun verjaardag krijgen? Belle is zo benieuwd, dat houdt ze nooit vol. Krijgen ze een fiets of een poppenhuis? Of een schommel voor in de tuin?
Belle kijkt uit het raam. Het regent een beetje.
'Zal ik voorlezen?' vraagt opa.
Isa rent meteen naar de boekenkast en kijkt met een schuin hoofd langs de kaften.
Nu moet Belle het vragen. Misschien weet Isa het wel.
'Weet jij wat ons cadeau is?' fluistert Belle.
Isa schudt haar hoofd.
'Ben jij niet nieuwsgierig?' fluistert Belle.
'Morgen weet ik het toch.' Met twee boeken onder haar arm loopt Isa naar opa toe.
Morgen, denkt Belle, dat is nog een hele dag wachten.
'Kom jij ook, Bella?' vraagt opa. Opa vindt Bella mooier. Isa en Bella.
Belle gaat naast opa zitten. Hij slaat het boek open en zucht. 'Hè, gezellig zo tussen jullie tweetjes op de bank.'
Misschien kan Belle het wel aan opa vragen.
'Opa, als jij vroeger jarig was, was jij dan wel eens nieuwsgierig naar je cadeau?' vraagt Belle.
'O ja, vreselijk.' Opa wrijft over zijn kale hoofd. 'Ik ging altijd zoeken.' Hij lacht.
Belle schuift naar het puntje van de bank. 'En, heb je wel eens wat gevonden?'
'Nee,' zegt opa. 'Mijn ouders konden heel erg goed verstoppen.' Hij kijkt naar Belle. 'Bella, ben jij soms ...?'
Belle durft niet naar opa te kijken. Ze bijt op haar lip.
Opa trekt lachend aan Belles vlecht. 'Je bent net zo nieuwsgierig als je opa.'

‘En jij Isa,’ vraagt opa. ‘Ben jij ook nieuwsgierig?’
Isa haalt haar schouders op. ‘Een beetje.’
‘Zullen we samen gaan zoeken?’ fluistert opa. Hij lijkt ineens net een klein jongetje. Zijn ogen zijn weer jong. ‘Eerst op zolder?’
Misschien heeft papa er gister wel iets neergezet. En misschien kan opa de kast wel open krijgen, denkt Belle. Samen lopen ze achter opa aan de trap op. Hij kan niet zo snel, maar dat geeft niet. Opa gaat helpen zoeken!

Belle schrikt wakker. Vandaag zijn ze jarig. Samen jarig. Isa slaapt nog. Belle steekt haar hand uit en duwt tegen Isa’s schouder. Isa knippert met haar ogen en kijkt Belle slaperig aan.
‘Gefeliciteerd,’ fluistert Belle.
‘Gefeliciteerd,’ fluistert Isa. Ze doet haar ogen dicht en slaapt weer.
Belle kan niet meer slapen. Ze hebben gister met opa overal gekeken. Zelfs in de schuur. Maar ze hebben niets gevonden.
Het is nog donker. Zou het nog heel vroeg zijn? Belle loopt op haar tenen de trap af. Misschien staat hun cadeau in de kamer.

Nee, alles ziet er nog net zo uit als gister. Belle loopt langzaam de trap op en kruipt weer in bed.
Lang zullen ze leven, lang zullen ze leven. Papa en mama staan in hun slaapkamer en roepen zes keer hiep hiep hoera. Belle wrijft in haar ogen en dan voelt ze eerst papa's warme wang en dan mama's warme wang.
'Gaan jullie mee naar beneden?' vraagt mama. Belle en Isa springen uit bed en rennen achter haar aan de trap af. Opa is in de kamer. Hij dekt de tafel.
Waar is het cadeau? Belle ziet nergens iets staan.
'Weet jij nog waar je het cadeau verstopt hebt?' fluistert mama tegen papa. Ze kijkt heel bezorgd.
Papa schudt zijn hoofd en kijkt mama verbaasd aan. 'Jij zou het toch verstoppen?'
Ze doen alsof, denkt Belle. Ze trapt er niet in. Of... ze beginnen al een beetje ruzie te maken.
En dan gaat ineens de bel. Isa en Belle rennen naar de deur. Er staat een rieten mand op de stoep met een grote rode strik eromheen. Maar ze zien niemand.
Voorzichtig tillen ze de mand op en dan horen ze zacht gepiep. Een muis? Isa laat van schrik bijna de mand vallen.
'Wat zit er in?' vraagt opa nieuwsgierig.
Belle en Isa zetten de mand op de grond. Isa maakt het gespje los en Belle trekt het deksel open. Twee kleine poesjes proberen uit de mand te springen. Belle en Isa pakken er allebei eentje uit.
Ze zijn zo zacht en klein en lief. Belle wordt helemaal warm van binnen. Een poesje, dat wilde ze het allerliefste voor haar verjaardag. Nog veel liever dan een schommel, een poppenhuis of een fiets. Maar mama wil geen dieren in huis, zegt ze altijd.
Mama aait het poesje van Isa. 'Jij mag straks muizen gaan vangen,' zegt ze.
'Het zijn Siameesjes,' zegt papa. 'Zusjes die ook op dezelfde dag geboren zijn. Net als jullie.' Het poesje van Isa is precies even groot, heeft precies dezelfde blauwe oogjes en precies hetzelfde lichtbruine lijfje.

Belle duwt het poesje tegen haar nek. Het lijkt alsof Belle een heel zacht motortje hoort pruttelen.
'Lief hè. Ze spint,' zegt mama. 'Weten jullie al een mooie naam?'
Belle weet het al. Ze steekt haar neus in het vachtje. Het lijkt wel dons. 'Meesje,' zegt ze.
Isa kijkt naar Belle. 'De mijne noem ik Sia.'
'Sia Isa, het zijn dezelfde letters,' zegt opa. 'Wist je dat?'
Isa knikt.
'Sia en Meesje,' zegt papa. 'Wat een mooie namen. Die horen echt bij elkaar.'
'Net als wij,' roepen Isa en Belle precies tegelijk.

Van Ellen Stoop verscheen eerder:

Jade bijna elf
Punt voor Pien

zie ook: www.ellenstoop.nl

Wilma Geldof

Lotjes verjaardagscadeau

Met een brede lach op haar gezicht werd Lotje wakker. Ze was jarig! Ze sprong uit bed en holde haar kamer uit. Halverwege de trap bleef ze staan. Ze hield haar adem in. De woonkamer was versierd met roze en gouden slingers en overal hingen ballonnen en vellen papier waarop in grote krulletters geschreven was: LOTJE NEGEN JAAR!

'Vind je het mooi, liefje?'

Papa en mama stonden achter haar. Lotje had hen helemaal niet uit hun slaapkamer horen komen.

Ze knikte enthousiast. 'Prachtig!'

Nu pas viel haar blik op de pakjes op tafel. Wat zou ze krijgen? Ze had geen flauw idee. Vorig jaar had ze een nieuwe fiets gekregen en het jaar daarvoor een trampoline. Maar dit jaar zat een groot cadeau er niet in.

Mama was haar werk kwijt geraakt, de auto was kapot gegaan en de wasmachine ook.

'Alles is zo duur geworden,' klaagde mama om de haverklap. Elke dag telde ze haar geld en elke dag was ze daar sneller mee klaar. Lotje had daarom geen groot cadeau durven vragen, maar dat papa en mama haar zouden verrassen, dat wist ze zeker!

Papa gaf haar een duwtje tegen haar rug. 'Pak maar uit, meisje.'

Yes! Lotje rende naar de tafel. Er waren vier pakjes in glanzend papier met grote strikken er om. Eerst pakte ze het grootste cadeau uit: een tafeltennisset! Ze lachte blij. Ze hield van sporten en van buiten spelen.

Daarna pakte ze het kleinste cadeautje uit: kaartjes voor het circus, voor haarzelf en haar vriendinnen. Dat was leuk, maar het circus kwam pas over een week. Daar had ze nu niets aan.

Het derde cadeau was een rok.

'Zelf gemaakt,' zei mama trots. Ja, dat kon Lotje wel zien. Ze grin-

LOTJE 9 jaar
OTJE 9 jaar
LOTJE 9 jaar
LOTJE 9 jaar
LOTJE 9 jaar
LOTJE 9 jaar

nikte om de scheve rits. Mama kon echt níet naaien. Ze zou de rok alleen thuis dragen. Heel af en toe.
Het vierde cadeau moest dus het hoofdcadeau zijn, dacht Lotje en meteen werd ze zenuwachtig. Dit was dus het cadeau waarmee papa en mama haar wilden verrassen. Het was een beetje langwerpig pak, niet groot, niet klein, niet zwaar, niet licht. Ze zou het meenemen naar school om te laten zien. Het zou vast fantastisch zijn!
Lotje voelde aan het pak. Het was hard. Ze rook eraan. Het rook naar niets.
'Pak uit!' lachte papa.
'Het is heel leuk!' zei mama.
Voorzichtig gleden Lotjes vingers over het glanzende papier. Langzaam trok ze het plakband los. Wat kon het toch zijn?
Eindelijk zag ze het. Eerst dacht ze nog even dat het de doos was waarin het echte cadeau zat. Maar dit was het dus. Mama en papa lachten - als enigen. Het was een boek. Een boek! Papa en mama wisten heel goed dat ze niet van lezen hield! Lotje beet op haar lip. Ze kon het niet geloven. Een stom saai suf leesboek!
Geen seconde wilde ze er naar kijken, maar de letters dansten haar al tegemoet.
Het grote verjaardagsboek heette het. Pff, het zou wat.
Lotje probeerde de tranen terug te dringen, maar mama zag haar teleurstelling wel. Ze wilde heus geen verwend en ondankbaar kind lijken, maar een boek?!
'O Lotje, dit boek is echt leuk,' zei mama. 'Er staat een verhaal in, dat gaat over jou! Het heet 'Lotjes verjaardagscadeau'. Wacht, ik zal het voorlezen.'
'Nee,' zei Lotje snel want ze wilde er niets van horen. 'Ik moet me aankleden, ik moet naar school.'

'Heb je een boek met verhalen gekregen?' vroeg de juf. 'Wat jammer dat je dat niet meegenomen hebt. Dan had ik eruit kunnen voorlezen.'

'Ja!' riepen de kinderen in de klas. 'Voorlezen!'
De juf schudde haar hoofd. Lotje mocht haar tafeltennisset laten zien en ze mocht trakteren, maar daarna moest de klas rekenen.

's Middags, op Lotjes verjaardagspartijtje, kwamen er een heleboel kinderen. Lotje kreeg cadeautjes, ze deden spelletjes en ze aten taart en patat en ijs.
Maar die avond, toen mama haar een nachtzoen kwam brengen, had ze wéér dat boek, dat verjaardagsleesboek, bij zich!
'Schuif eens op,' zei mama en ze ging naast Lotje zitten. 'Luister, dan kan ik eindelijk dat verhaal over jou voorlezen: "Lotje's verjaardagscadeau".'
Lotje zuchtte. 'Oké dan.'
Mama sloeg het boek open, bladerde twee bladzijden terug en toen begon ze voor te lezen.
Lotje kroop tegen haar moeder aan en opeens was het gezellig.
En... hoe kon dat? Het verhaal ging echt over haar! Over haar en haar verjaardagscadeau! Dat was een verrassing!
Mama las:

(Sla een bladzijde terug en lees verder op pag. 146...)

Van Wilma Geldof verscheen ook:

Kiki op zoek naar Tom

Nathans val

Een laatste brief

Vlinder

Heej sgatje

Bitch

Levi, Lola en de liefde

zie ook: www.wilmageldof.nl

Bronvermelding

De versjes 'Feest' en 'Streepjes' van Theo Olthuis verschenen eerder in de bundel: *Lampje voor de nacht* - Uitgeverij Holland, Haarlem, 2005

Omslag en tekeningen: Saskia Halfmouw
Omslag typografie: Ingrid Joustra, Haarlem

ISBN 9789025111113
NUR 281, 282

Kom
je ook?